MI PROPIO AUTO

Written by Lisa Ray Turner
and Blaine Ray

Written by Lisa Ray Turner and Blaine Ray
Layout design by Juan Carlos Pinilla Melo
Illustrations by Juan Carlos Pinilla Melo

Published by:
TPRS Books
9830 S. 51st Street B114
Phoenix, AZ 85044
Toll free phone: (888) 373-1920
Toll free fax: (888) 729-8777
www.tprsbooks.com
info@tprsbooks.com

This novel has been written to meet the needs of language learners. As such, there are times when cognates have been used and sentence structure has been simplified as opposed to more complex language.

First edition 2003.

ISBN-10: 1-60372-396-X
ISBN-13: 978-1-60372-396-1

Índice

CAPÍTULO UNO
La vida de Ben

Ben Sullivan es un chico que piensa que tiene una vida casi perfecta. Tiene 17 años y vive en una casa grande en San José, California. Tiene ropa nueva y bonita. Tiene una casa con piscina y muchos cuartos. Es muy guapo con una novia muy bonita. Juega al baloncesto en el equipo de su escuela. Su novia se llama Mindy. Ella es muy popular en la escuela. Los dos son estudiantes buenos. No son estudiantes perfectos pero son muy buenos.

Hay solamente una cosa que Ben quiere pero no la tiene. No tiene su propio auto. Es terrible para él. Cuando va a alguna parte, tiene que ir en el carro de sus padres o ir en el auto de sus amigos. A veces va a pie a la escuela porque no tiene carro. Y su escuela está a un poco más de una milla de su casa.

Lo único que quiere es un auto. Tiene que tener su propio auto. No quiere manejar el carro de su madre. Es ridículo. Tiene mucha vergüenza porque el carro de su madre es muy grande. Es un carro familiar. No es el carro de un joven. Es una miniván y a Ben no le gusta. Quiere tener un carro deportivo.

Ben cree que un carro sería el regalo perfecto por su cumpleaños. Todos sus amigos tienen su propio carro así que Ben piensa que él necesita su propio carro también. Su amigo Steve tiene un Ford Mustang. Alex tiene un Toyota Camry. Y John tiene mucha suerte. Tiene un BMW.

Todos los estudiantes populares de la escuela tienen autos. Ben asiste a una escuela particular. En esta escuela los estudiantes que no son muy populares manejan el carro de la familia. Hay algunos que ni siquiera tienen un auto. Van a la escuela en bicicleta. Ben cree que no es normal ya que no tiene su propio carro como los otros estudiantes populares. Para Ben, tener un carro es más que una necesidad. El momento de tenerlo es ahora.

CAPÍTULO DOS
Una celebración de cumpleaños

Hoy es el cumpleaños de Ben. Sabe lo que quiere por su cumpleaños. Quiere un auto. Quiere tener su propio auto. Va a salir esta noche con sus padres a un restaurante elegante para comer. No quiere ir con ellos pero piensa que sus padres le van a dar algo por su cumpleaños. Cree que le van a dar la llave de un auto nuevo.

¿Qué tipo de carro será? Puede ser un carro deportivo. Un carro azul con mucha potencia. Puede ser un Jeep para poder manejar en las montañas. Puede ser un Volkswagen pequeño para poder ir a la playa.

A Ben no le importa mucho la marca del carro. Solo quiere un carro. Un carro bueno. Un carro nuevo. No le importa el color. Lo único que no quiere es una miniván o un carro familiar. Quiere un carro como los otros carros de los estudiantes de su escuela.

—Beeeeeen, ¿estás listo para ir a comer? —le grita su madre.

La madre está en la oficina. Está trabajando en la computadora de la familia. Su trabajo es vender casas. Es una de las mejores vendedoras en San José.

—Sí, mamá, estoy listo —le dice Ben a su madre.

Ben está escribiendo un mensaje en Twitter a una amiga.

—Acaba de llegar tu padre así que vamos a salir en unos minutos —responde la madre de Ben—. Vamos a tu restaurante favorito. Vamos a Steak Palace.

Ben está contento porque van a ir a un restaurante súper bueno. Le gusta comer carne con papas. También sirven helado y pasteles para el postre. Le gusta muchísimo. La familia de Ben come en restaurantes mucho porque no tiene hermanos ni hermanas. También porque los dos padres trabajan y no tienen tiempo para preparar comida después de trabajar todo el día.

La familia está en su lugar favorito del restaurante. Siempre les dan la misma mesa buena. Pueden hablar sin escuchar las conversaciones de otros clientes. Ben piensa: "Voy a tener un auto y voy a venir a este restaurante. Voy a venir en mi carro nuevo. Me gusta este restaurante." Pero primero tiene que comer.

—Ben, estamos muy orgullosos de ti —le dice su madre—. Ya tienes 17 años. Es increíble. El tiempo pasa tan rápido.

Ben cree que su madre dice cosas tontas a veces. No sabe por qué. Solo sabe que dice cosas tontas a veces.

—Sí, hijo. Estamos muy orgullosos de ti —le repite su padre en una voz muy seria.

Ben mira a sus padres. Está nervioso. ¿Qué tipo de carro es? No puede esperar más.

—Ben, te tenemos un regalo muy especial este año —le dice la madre.

—Sí. Es un regalo muy especial —le dice su papá—. Es un regalo que va a cambiar tu vida. Es un regalo increíble.

Ben piensa: "Sí, un carro cambiará mi vida. Voy a ser más popular y tener más amigos a causa de mi carro nuevo. Un carro va a cambiar mi vida muchísimo."

—¡Qué bueno! —les dice Ben—. Me gusta. No puedo esperar más.

El Sr. Sullivan saca algo de su camisa.

—Bueno, ya no tienes que esperar más. Feliz cumpleaños hijito —le dice el Sr. Sullivan.

Su padre le da algo. Ben está seguro que es una llave de un carro. Está muy nervioso. Es un paquete bonito. Ben abre el regalo. Saca un papel de su regalo. ¿Saca un papel?

Ben mira el papel. No es una llave sino que es un boleto de avión.

Ben mira a su mamá. Ella tiene una expresión de felicidad en la cara. Está súper contenta.

—Ben, mira. Es un boleto de avión. Míralo —le dice su madre.

Ben está muy sorprendido. No quiere ver el boleto.

No hay llaves. No hay un auto nuevo. Va a tener que ir a pie todavía. No quiere tener un boleto de avión. Solo quiere un auto.

Ben deja de pensar en el carro. Un boleto de avión no es malo. Probablemente es un viaje a Europa o Hawai. Puede ser un crucero a una isla en el Caribe. Puede pasar tiempo en la playa y tomar Coca-Cola y mirar a las chicas. Eso no es malo. Realmente parece interesante.

Al mirar su boleto lo ve. Es un viaje a . . . .

—El Salvador, hijito —le dice el Sr. Sullivan—. Vas de viaje a El Salvador.

El Salvador. ¿El Salvador? Ben no sabe exactamente dónde está El Salvador. Lo único que sabe es que no está en Europa. No es París, ni Roma, ni Londres. Probablemente no hay playas bonitas con chicas. El Salvador es el último lugar en el mundo que Ben quiere visitar.

—¿El Salvador? —les dice Ben en una voz suave.

—Oh no, Ben. No pareces contento —le dice la Sra. Sullivan—. No lo sabes todo. Hay más.

¿Todo? Tal vez le van a dar un auto nuevo en El Salvador y puede volver a California en su auto.

—Ben —le dice la señora—. Este año tu regalo es muy especial. Es mejor que un videojuego o una computadora o un carro nuevo.

—¿Qué? —pregunta Ben.

Ben está muy sorprendido. Ben piensa que no hay

nada mejor que un carro nuevo.

—El regalo este año es una lección de vida —le dice el padre.

—¿Una lección? —dice Ben.

Ben se siente un poco enfermo porque quiere su propio auto.

—Sí, una lección de vida. Vas a El Salvador para ayudar a las personas pobres de allá. Vas a construir casas este verano —le dice el Sr. Sullivan.

—¿Por qué voy a hacer eso? ¿No tienen casas ellos? —les pregunta Ben.

Ben trata de recordar exactamente dónde está El Salvador. Piensa que está en Centroamérica o Sudamérica. No está seguro. Pero no es un lugar de diversión.

—Hace dos meses hubo un terremoto en El Salvador. ¿Recuerdas? Miles de personas en El Salvador perdieron sus casas. Es una situación horrible —le dice el padre.

—Y tú vas a tener la oportunidad de ayudar a las personas sin techo. Vas a pasar el verano en El Salvador construyendo casas —le dice la mamá—. ¿No es emocionante?

—Mamá. Papá. No quiero ir. No quiero ayudar. No quiero ir a un país en Centroamérica y trabajar. Quiero jugar al baloncesto durante el verano. Quiero pasar tiempo con Mindy. No quiero ir a El Salvador.

—Ben. ¿Qué pasa? —le pregunta la señora.

—Mamá. Esto es tonto. No quiero hacerlo. Quiero jugar en la computadora durante el verano.

—Pero Ben, es tu regalo de cumpleaños —le dice su padre.

—Quiero un auto por mi cumpleaños. Quiero un auto como los autos de mis amigos. Quiero ser normal como los otros en la escuela con autos nuevos —les dice Ben.

—Sabemos que quieres un auto. Pero queremos darte algo mejor —le dice la madre.

—Oh sí. Una lección de vida. ¡Qué bueno! —dice Ben sarcásticamente.

—Realmente hay un carro en el plan. Es parte del regalo. Si vas a El Salvador y si pasas todo el verano allá, vas a tener un carro nuevo después del verano.

—¿De veras? —pregunta Ben.

—Sí, es cierto. Después del verano vas a tener un Ford Mustang o Toyota Prius. Pero solamente si pasas todo el verano allá. Las personas allá necesitan tu ayuda.

—Uds. solamente quieren estar solos este verano —les dice Ben.

—No es eso. Vas a tener la experiencia de tu vida —le responde el padre.

—Está bien. Voy a El Salvador. Después vuelvo y voy a tener mi propio carro. Está bien. Me gusta —les dice Ben.

Ben mira el boleto. No lo puede creer. Un viaje a

El Salvador para trabajar no le parece un regalo. No es un regalo sino más bien un castigo. No lo entiende. No necesita una lección de vida. Necesita un carro. No quiere ayudar a otras personas. Ya tiene amigos. Puede ayudar a sus amigos. ¿Por qué tiene que ir a El Salvador? Es un buen chico. No toma drogas ni bebe alcohol. No fuma. Pero no importa. Va a tener su carro al fin de verano.

—Feliz cumpleaños —le dicen los dos.

—Vas a irte en dos semanas —le dice el papá.

—Gracias —les dice Ben—. Creo que voy a tener la experiencia de mi vida. Voy a casa para empacar.

CAPÍTULO TRES
Planes para el verano

—No lo puedo creer. ¿Por qué vas a El Salvador? ¿Por qué no les dices a tus padres que no quieres ir? —le dice Mindy por teléfono.

—Porque quiero un auto —le dice Ben—. Si me quedo en El Salvador todo el verano, me van a dar un auto. Necesito un carro. Voy a estar en mi último año de la escuela.

—Es cierto que necesitas un carro —le dice Mindy.

Mindy ya tiene su propio auto. Es un Volkswagen amarillo. Sus padres se lo regalaron cuando cumplió 16 años.

—En tres meses no voy a tener que usar la miniván de mi madre —le dice Ben—. Voy a tener mi propio auto. Tú puedes ir conmigo en mi propio auto.

—¡Qué bueno! —le dice Mindy—. Porque prefiero estar contigo si tienes tu propio carro.

Ben está un poco preocupado por Mindy. Ben se va a El Salvador y Mindy se queda aquí. Mindy es muy bonita y popular. Todos los chicos quieren ser novios de ella.

—Mindy, solo tienes que esperar tres meses y estoy

aquí de nuevo. Y voy a tener mi propio auto. Todo va a mejorar —le dice Ben a Mindy.

—Podemos hablar después de tu viaje a El Salvador. Voy a estar muy ocupada durante el verano —le dice Mindy—. Voy de viaje a Europa. Voy a París por un mes. También voy con mi familia a la playa en el sur de California. El verano va a pasar rápidamente. También tengo que comprar muchas cosas durante el verano. Tengo que comprar ropa y zapatos. Ya tengo muchos zapatos pero quiero más porque es mi último año de secundaria. No puedo ir a mi último año sin tener zapatos nuevos.

Ben piensa que Mindy es tan bonita. Siempre se ve tan bonita con ropa elegante y zapatos nuevos.

—Tú eres fenomenal Mindy —le dice Ben.

—Gracias, Ben —le dice Mindy—. No tienes que decirme fenomenal. Ya lo sé.

CAPÍTULO CUATRO
Información sobre El Salvador

Ben va a El Salvador y necesita saber más sobre el país. Va al lugar más lógico para tener más información. Va a su computadora. Entra a Google.

A Ben no le parece muy interesante El Salvador. Él solo va a ir porque quiere un carro. El Salvador es un país pequeño. Es del mismo tamaño que Massachusetts pero no tiene muchos lugares turísticos. Por ejemplo, la ciudad más grande del país es San Salvador. San Salvador también es la capital pero no tiene Disneylandia. Ben piensa: "¿Qué puedo hacer allí? Llueve mucho durante el verano."

Ben lee mucho sobre El Salvador. Parece que es un país bonito con montañas bonitas y playas preciosas. No le importa eso mucho a Ben. A Ben le importa Mindy. A la mamá de Ben le importan las montañas bonitas. A su papá le importan las playas bonitas. A Ben le importa Mindy. También le importan la tele, los videojuegos y su computadora.

Una cosa es cierta. La gente de El Salvador necesita la ayuda de Ben. Mucha ayuda. Hace unos meses dos terremotos grandes y fuertes habían causado bastante

14

destrucción en El Salvador. Muchas personas murieron. En un pueblo se cayeron todas las casas. Las casas se cayeron porque estaban construidas de adobe. En otros pueblos se cayeron la mayoría de las casas. Es muy cierto que la gente de El Salvador necesita ayuda. Ellos necesitan la ayuda de muchas personas.

Aunque la gente necesita ayuda, Ben todavía no quiere ir. No tiene ganas de ir a El Salvador. Quiere pasar el verano en su casa con sus amigos. Quiere jugar al golf y al tenis. Quiere nadar y divertirse. Ben solo va porque quiere tener su propio carro. Es un sacrificio pero Ben va a ir. Si no fuera, tendría que manejar la miniván de su madre otro año más. Y Ben no quiere hacer eso.

CAPÍTULO CINCO
Un viaje nuevo

Dos semanas más tarde, Ben se sube a un avión y se va a El Salvador. Su avión aterriza en el aeropuerto de San Salvador. Ben se siente bien. Cuando Ben sale del avión hay un hombre que se le acerca. El hombre tiene ojos castaños y pelo negro.

—Hola —le dice el hombre a Ben—. Tú eres Ben Sullivan, ¿no?

—Sí. Es cierto. Soy Ben —le responde Ben.

—Bienvenido a nuestro hermoso país —le dice el hombre—. Soy Juan Salinas de Casas para El Salvador. Es una agencia que construye casas para los salvadoreños. Estamos muy contentos de tenerte aquí. Hay mucho trabajo que hacer aquí en este país.

Ben está cansado por el viaje. Está cansado porque hubo muchas fiestas en California para él. Comió mucha comida. Bebió muchos refrescos y escuchó música.

—Vas a quedarte con la familia Zamora aquí en El Salvador —le dice el Sr. Salinas.

Ben trata de entender las palabras del Sr. Salinas. El señor habla rápido y es difícil entenderlo todo. Ben estudió español por cinco años en la escuela pero sus profesores hablaban más despacio que el Sr. Salinas.

—La familia Zamora es una familia muy buena y unida. Viven no muy lejos de San Vicente —le dice el Sr. Salinas.

—¿San Vicente? —le pregunta Ben—. ¿Dónde está San Vicente?

—Está a dos horas de San Salvador —le dice el Sr. Salinas—. El terremoto destruyó mucho de San Vicente.

—¿Qué quieres decir? —le pregunta Ben.

—El terremoto destruyó muchas casas —le dice el Sr. Salinas.

El señor parece triste cuando habla.

—Destruyó muchas casas y edificios. Destruyó casas e iglesias. Destruyó pueblos enteros. Muchas personas murieron. Es tan triste.

El señor Salinas hace la señal de la cruz cuando habla de las personas muertas.

—Miles de personas perdieron sus casas. Muchas necesitaron atención médica. Todo fue terrible —le explica el Sr. Salinas.

—Parece horrible —le dice Ben.

—Vamos a necesitar muchos años para reconstruir las casas destruidas. No hay suficiente gente que pueda ayudar en la construcción. La gente vive en carpas.* Están haciendo camping día y noche. Por eso estamos

*carpas *tents*

17

muy contentos de tener jóvenes aquí que nos van a ayudar —le dice el señor Salinas.

Ben no se siente como el señor. Ben no quiere estar en El Salvador. Está cansado. Tiene hambre. Tiene calor. Está muy lejos de California. Quiere ir a su casa y jugar juegos en su computadora. Quiere dormir.

El señor Salinas le dice:

—Bueno, ahora vamos a otra ciudad que se llama San Vicente. Allá otro hombre llamado Sr. Melara nos espera. Él te va a llevar a la casa de tu nueva familia.

—Ok, vamos —responde Ben.

El señor Salinas y Ben levantan las maletas y salen del aeropuerto. El señor comienza a caminar. Ben cree que van a un auto. Pero no. El Señor Salinas camina hacia el autobús y se sube con la maleta de Ben. Ben se sube también. Es un bus viejo como los buses amarillos en California que transportan niños a la escuela.

El autobús es muy viejo. Está pintado de muchos colores diferentes: rojo, verde y azul. El autobús parece extraño. Ben realmente no sabe si van a llegar a San Vicente. El autobús parece muy viejo. No quiere ir en el autobús pero no hay otra opción. No puede ir a pie.

El autobús tiene muchas personas. Un joven acepta el dinero para pagar el viaje a San Vicente. Hay una mujer que está vendiendo fruta. Ella mira a Ben y le pregunta:

—¿Eres americano?

—Sí, soy americano —le dice Ben.

—Tienes el pelo bonito —le dice la señora—. Me gusta tu pelo bonito. Y tus ojos azules. Tienes ojos bonitos.

La mujer es simpática pero un poco rara. Tiene una falda roja con una blusa morada. Parece vieja y cansada.

—Gracias —le dice Ben a la mujer.

—¿Banana? —la mujer le pregunta—. Muy barata.

Las bananas parecen muy buenas. Ben verdaderamente tiene hambre.

—Sí —contesta Ben—. ¿Cuánto es?

—Veinticinco centavos —le responde la mujer.

—¿Veinticinco centavos de los Estados Unidos? —le pregunta Ben.

—Sí.

Ben le da una moneda de veinticinco centavos y recibe las bananas pero está confundido. Piensa: "¿Usan dinero de los Estados Unidos en El Salvador?" Él le dice a la señora:

—No comprendo. ¿Por qué usan dinero de los Estados Unidos? ¿No usan otro dinero?

—Adoptamos el dinero de los Estados Unidos como el dinero oficial en 2001 —le explica la señora—. Antes usábamos colones pero ahora se aceptan dólares. Somos un país dolarizado ahora.

Mientras Ben come una banana, sigue hablando con la señora. Él piensa que es muy raro estar tan lejos de

California donde todo es diferente y se puede comprar bananas en la calle con una moneda de los Estados Unidos. La mujer le dice a Ben que se puede pagar con dólares en El Salvador y Panamá pero no se puede hacer esto en los otros países centroamericanos. En los otros países centroamericanos hay que pagar con moneda nacional.

Ben come otra banana. Tiene un sabor bueno pero no es como la comida de California. El autobús pasa un McDonalds y ahora Ben tiene más ganas de comer comida americana. Sabe que hay McDonalds y Pizza Hut en San Salvador pero no los hay en San Vicente.

Ben se siente triste ya que está en un país donde todo le parece diferente. Extraña su casa, a su familia y todo de California. Extraña su computadora. Extraña su piscina. Extraña a sus amigos. Extraña a Mindy. Incluso extraña la escuela.

El autobús sale de la capital San Salvador y está en el campo fuera de la ciudad.

—Todo esto es fascinante —le dice el Sr. Salinas—. Me encanta estar aquí en El Salvador.

Ben piensa: "¿Le encanta? ¿Cómo es que le encanta? No me gusta nada de aquí. No hay nada aquí que me encante." Ben tiene ganas de gritar pero en vez de gritar le dice al señor Salinas:

—Sí, es emocionante estar aquí.

El Señor Salinas sonríe y le dice a Ben.

—El Salvador no es los Estados Unidos. Pero no te preocupes. Es un país maravilloso.

Ben no dice nada. Piensa que el señor Salinas se volvió un poco loco.

Durante el viaje a San Vicente, Ben observa mucho. Ve que las carreteras de El Salvador son muy buenas. En El Salvador hay muchas autopistas o carreteras con espacio para cuatro carros.

Ben ve que hay muchas personas vendiendo cosas diferentes. Venden comida, fruta, ropa, discos compactos y otras cosas.

Se nota que hace calor en El Salvador. La ciudad de San Salvador está situada cerca de la costa. Si uno está en las montañas no hace mucho calor pero cerca de la costa hace calor durante todo el año.

Durante el viaje en bus Ben ve mucha vegetación. Todo parece verde. Hay muchas plantas de café y bananas. Está sorprendido de ver una planta de bananas. No sabe si es un árbol o solamente una planta. Ben nota que las bananas van hacia arriba cuando están formándose en la planta. La planta produce una flor muy bonita de color morado.

El viaje le parece interesante pero todavía prefiere el país de McDonalds y Pizza Hut aunque hay McDonalds y Pizza Hut en El Salvador.

CAPÍTULO SEIS
La cabra mala

El viaje a San Vicente dura casi dos horas. Ben está muy contento de estar en San Vicente porque ya no tiene que viajar más. En el centro de la ciudad hay mucha gente. Hay muchas evidencias de la destrucción del terremoto. Enfrente de la plaza están los restos de la catedral. Está prácticamente destruida. Ahora están construyéndola de nuevo. Hay un reloj grande. La hora en el reloj es 8:16. El reloj ya no funciona. Es la hora exacta en que el terremoto comenzó. En el otro lado de la plaza se ve un edificio grande y blanco. Parece que antes era un edificio del gobierno pero ahora es un edificio que nadie puede usar. Da la impresión de que el edificio se puede caer. No se permite entrar a nadie. Una pared está separada totalmente del resto del edificio.

Mientras Ben observa todo, ve una cabra al otro lado del edificio. A Ben le gustan las cabras. Piensa que son interesantes. Su amigo en California tiene una cabra muy buena. Ben camina hacia la cabra. Cuando está cerca de ella, Ben mira bien a la cabra. La cabra mira a Ben. La cabra tiene una cara mala, muy mala. A Ben le parece que no es una cabra tan buena como la de su

amigo en California.

Ben comienza a caminar en otra dirección, pero la cabra lo sigue. La cabra camina hacia Ben. Ben la ve y comienza a caminar más rápido. No le gusta que una cabra mala lo esté siguiendo. Ben decide correr. Cuando la cabra lo ve corriendo, también decide correr. La cabra corre hacia Ben. Ben corre rápido pero la cabra corre más rápido. En poco tiempo, la cabra está muy cerca de Ben. La cabra le pega a Ben. Ben grita. Le pega otra vez. Ben grita aún más fuerte. No sabe qué hacer.

El señor Salinas escucha a Ben gritar y va hacia él. Mira a la cabra y le grita:

—¡Vete de aquí! Tú eres una cabra muy mala.

El señor Salinas asusta a la cabra y la cabra se va. Le dice a Ben:

—Lo siento Ben. ¿Estás bien? Esa cabra siempre anda molestando a la gente. Es una cabra muy mala.

Ben le dice:

—Sí, ahora lo sé. Gracias por ayudarme.

Después de este incidente, otro hombre se acerca a Ben y al señor Salinas.

—Buenas tardes —les dice.

El Sr. Salinas ya conoce al hombre.

Le dice a Ben:

—Ben, te presento al Sr. Melara. Él es el director local del programa. Él te va a llevar a tu nueva familia.

—Mucho gusto —dice el Sr. Melara a Ben—. Estoy aquí para ayudarte con cualquier necesidad en El Salvador.

—Gracias —le responde Ben.

—Te voy a llevar para conocer a tu nueva familia —le dice el Señor Melara—. Ellos son muy simpáticos. Estoy seguro que lo vas a pasar muy bien con ellos.

—Ok, vamos —dice Ben.

Los dos le dicen «adiós» al señor Salinas y se suben al pickup del Sr. Melara y van a la casa de la familia nueva.

CAPÍTULO SIETE
La familia nueva

El Sr. Melara y Ben llegan a la casa de la nueva familia. Caminan hacia la casa y tocan a la puerta. La familia abre la puerta y un hombre y una mujer le dicen a Ben:

—Hola.

—Ben, estos son los señores Zamora —le dice el señor Melara.

—Es un placer —les dice Ben.

—Vas a vivir en nuestra casa. Estamos muy contentos por eso —le dice la Sra. Zamora—. Eres muy bienvenido a nuestra casa.

—Tenemos mucho que hacer mañana —le dice el señor Zamora—. ¿Estás listo para trabajar?

Ben piensa: "Oh no, no quiero trabajar", pero Ben no dice lo que realmente está pensando. Le dice:

—Sí señor, estoy listo. Quiero ayudar.

Se despiden del Sr. Melara y la familia y Ben entran a la casa.

—¿Tienes hambre? —le pregunta la señora Zamora.

—Sí, tengo hambre. Tengo mucha hambre —le responde Ben.

—Vamos a comer en una pupusería —le dice la señora a Ben—. ¿Te gustan las pupusas?

Ben no sabe lo que es una pupusa pero piensa que va a querer comerla. Le gusta la comida mexicana. Le encanta comer en Taco Bell.

La señora Zamora toma la maleta de Ben y la pone en otra parte de la casa. Salen de la casa y caminan un rato. Al poco rato llegan a un restaurante. Es una pupusería. Entran. En unos minutos el hombre del restaurante le da a Ben una pupusa. Es una tortilla gorda. Es muy gorda y gruesa. Ben no tiene ni idea de lo que es. Piensa que es comida salvadoreña.

—Cómela. Es buena. Tiene frijoles y queso —le dice la señora.

Ben come porque tiene mucha hambre y no hay otra comida. No sabe si le va a gustar pero la come. Ben sabe que no es comida de Taco Bell pero lo come todo.

—¿Quieres un licuado? —le dice la señora a Ben.

—Sí, cómo no —le responde Ben.

El hombre en el restaurante le da un vaso de leche a Ben. Ben prueba la leche. Le gusta mucho. La leche es muy dulce y tiene sabor a fruta. Ben piensa que sabe a fresa y le gusta mucho. También la leche es rosada así que Ben piensa que un licuado es una mezcla de leche con fruta y azúcar.

Después de comer, caminan a casa. Ben está

cansado por el viaje y quiere dormir pero no es posible.

—Ahora vamos a un pueblo que se llama Santa Lucía. Está cerca. En Santa Lucía vamos a estar trabajando —dice el señor Zamora.

Se suben al pickup. Mientras van hacia Santa Lucía, Ben observa mucho. Todo es nuevo para él. Mira las casas y a la gente en la calle. Parece que todos están vendiendo algo. Las casas son pequeñas. Parece que son de adobe o cemento. Algunas tienen techos de metal. Ben se da cuenta de que la gente de El Salvador necesita su ayuda. No quiere estar en El Salvador pero puede ver que, aunque es una sola persona, él puede ayudar un poco. Sin embargo se siente tan solo y triste a veces.

Mientras se acercan a Santa Lucía, Ben lo observa todo. Mira que hay casas con daños causados por el terremoto. Ben ve otras casas con muchos daños. Ve casas sin techo. Parece que algunas casas se van a caer en cualquier instante.

Más tarde vuelven a casa. Después de ver todo el daño que hizo el terremoto, Ben les pregunta a los Zamora:

—¿El terremoto también les afectó a Uds.?

—Sufrimos mucho a causa del terremoto. Casi todas las casas aquí cayeron durante el terremoto —le dice el señor Zamora.

—El día fue horrible. Yo estaba fuera de la casa con

los animales. En un instante, todo comenzó a temblar. Parecía el fin del mundo. Vi caer las casas de mis amigos. Cuando el terremoto terminó, todos comenzamos a buscar a nuestros amigos y vecinos para ver si estaban vivos o no. Después de todo teníamos vida y a nuestras familias. Nos sentimos bien —le dice la Sra. Zamora a Ben.

Ben entra a la casa pequeña y la mira. Está sorprendido porque piensa que es tan pequeña. En la casa no hay casi nada. Hay un refrigerador y una estufa. Hay tres sillas pero no hay sofá. Hay un baño y dos dormitorios. No es como la casa donde vive su familia en California.

Ben entra al dormitorio y no lo puede creer. Hay una cama y una mesita. No hay computadora ni televisor. No hay videojuegos. Ben piensa, "¡Esta experiencia es muy diferente!"

—Tuvimos mucha suerte porque nuestra casa no se cayó —le dice la señora—. La mayoría de las casas de este pueblo se cayeron durante el terremoto.

—Es cierto que tuvieron mucha suerte —le dice Ben.

Pero Ben no cree lo que dice. Piensa que tienen una vida terrible. Él prefiere su vida en California.

Hay otro cuarto. La puerta de ese cuarto está cerrada.

—Anabel —le dice la señora—. Ven a conocer a

Ben.

La puerta se abre y sale una chica. Ben no lo puede creer. Se pone nervioso porque piensa que la chica es hermosa. Ella es más hermosa que Mindy. Es la chica más hermosa que ha visto en toda su vida.

—Anabel es nuestra hija —le dice el señor.

—Mucho gusto —le dice Ben.

Anabel se ríe y dice:

—Otro chico americano aquí. ¿Vienes a ayudar con las casas?

—Sí —le dice Ben.

Anabel tiene el pelo largo y bonito. Tiene ojos grandes y castaños. Parece una modelo. Es tan bonita. Se ríe mucho.

—Bienvenido a nuestro pueblo —le dice Anabel—. Estamos contentos de tener otro americano aquí.

Después sale una niña de ocho años. Se parece a Anabel pero es más joven.

—Hola —le dice la niña—. Soy Rosa. Tengo ocho años. Bienvenido a nuestra casa.

—Es mi hermanita —le dice Anabel a Ben—. ¿Tienes hermanos?

—No. Soy hijo único. No tengo hermanos ni hermanas.

—¡Qué triste! —le dice Anabel.

—Tenemos un hermano pero no vive con nosotros.

Va a la universidad. Vive en San Salvador. Tú vas a dormir en su dormitorio —le dice Rosa.

—Qué bueno. Me gusta —dice Ben.

—Es muy tarde —les dice la señora Zamora—. Tenemos mucho que hacer mañana. Es hora de dormir.

No es tan tarde. Generalmente Ben no se acuesta hasta la medianoche pero hoy es una excepción. Esta noche no va a ver la tele. No va a jugar videojuegos. Esta noche no. Está muy cansado. Todos se van a acostar y él también se va a acostar. Entra al dormitorio. La cama no es muy cómoda. Ben quiere estar en California. Quiere hablar con sus padres y con Mindy. Pero esta noche no puede. Se acuesta en la cama incómoda y en unos segundos está durmiendo.

CAPÍTULO OCHO
Vidas diferentes

La próxima mañana llega rápido. Ben no lo puede creer cuando la Sra. Zamora toca a la puerta. Ben se despierta.

—A comer —le dice la señora Zamora a Ben.

Ben se levanta y sale de la cama. Tiene hambre. Siempre tiene hambre. Quiere un desayuno grande. Piensa en un desayuno bueno. Huevos, jamón y pan tostado. Le encanta comer un buen desayuno. Llega a la mesa. La familia ya está sentada. Antes de comer, la familia no ofrece una oración para bendecir la comida. Ben sabe que la mayoría de las personas en El Salvador son religiosas así que está un poco sorprendido cuando no tienen una oración antes de comer.

Ben mira la comida en la mesa. No lo puede creer. Es arroz, frijoles y tortillas. No hay huevos, ni jamón ni pan tostado.

—Hoy vamos a trabajar mucho. Vamos a empezar a construir una casa nueva. Vamos a trabajar en la casa nueva de la familia Guerra —le dice el señor a Ben.

—La pobre familia no tiene madre. Se murió en el terremoto —le dice la señora a Ben.

Todos en la familia comen con mucho entusiasmo. Ben come pero no le gusta. Más arroz. Más frijoles. Más tortillas. Después el Sr. Zamora dice:

—Vamos a trabajar.

Se levantan todos. Van al pickup. Se suben. Rosa y Anabel van con el Sr. Zamora y Ben. Mientras van hacia el lugar, hablan. Anabel quiere saber de la vida en los Estados Unidos.

Anabel le dice que los visitó una estudiante de los Estados Unidos el verano pasado. Se llamaba Stacy. Solo estuvo con ellos dos semanas. No le gustaba la vida de El Salvador.

—Voy a quedarme todo el verano —les dice Ben, pensando en el carro nuevo que va a recibir después del verano.

Ben lo observa todo. Hay un río. Hay gente en el río. Hay personas que van al río para buscar agua. Incluso hay unas niñas muy pequeñas que ayudan con el agua.

Anabel y el señor Zamora hablan de la vida. Parece que ellos conocen a todos. En unos minutos paran. Están enfrente de una casa pequeña o parte de una casa. Parte de la casa no está. Otra parte de la casa está destruida.

—Esta es la casa —le dice Anabel a Ben—. Vamos a comenzar el trabajo.

—Está bien —le dice Ben.

Ben quiere trabajar con las chicas. También quiere

conversar con las chicas durante todo el día. Quiere saber acerca de sus vidas aquí en El Salvador. El día va a pasar rápidamente si puede hablar con las chicas. Con Anabel y Rosa el tiempo va a pasar súper rápido.

Mientras trabajan, ven una cabra en la calle. Ben no está nada contento porque tuvo problemas la última vez con una cabra. Es una cabra diferente a la de antes. La cabra tiene una cara buena así que ahora Ben no está preocupado. Le pregunta a Anabel:

—¿Conoces a esta cabra?

Le dice:

—Sí, la conozco. Anda por acá a veces. Nunca molesta a nadie.

Ben está contento cuando oye esto. Los dos caminan cerca de la cabra pero no pasa nada. Ben piensa: "¡Qué bueno!" Después de un rato, la cabra ve a Ben y camina hacia él. Ben no la ve porque está detrás de él. La cabra comienza a caminar más y más rápido. Ben escucha algo y se da la vuelta. La cabra está enfrente de él. Tiene una cara mala, muy mala. Ben piensa: "Oh no, ¿otra vez?" Comienza a correr. Anabel le dice:

—Ben, no corras. Si corres, la cabra te va a pegar.

Ben no la escucha y sigue corriendo. La cabra corre más rápido que Ben. Ben la ve y está muy preocupado. La cabra está muy cerca y le pega. Le pega muy fuerte. Ben se cae y grita. Anabel grita:

—¡Cabra! ¡Vete de aquí! ¡Tú eres muy mala!

Ben tiene un dolor fuerte en las pompis. No está nada contento y no quiere ver más cabras.

CAPÍTULO NUEVE
Trabajo duro

La cabra se va y todos siguen trabajando. El trabajo es terrible porque es muy duro. Ben prepara bloques de cemento todo el día. Tiene que hacer todo a mano. No tienen máquinas para hacer el trabajo menos duro. Ya sabe que nunca va a trabajar con las manos. Va a ir a la universidad. Va a estudiar. Va a ser profesor, médico o ingeniero. Va a trabajar en cualquier profesión menos en la construcción. No quiere construir nada. Al final del día, le duele la espalda. Le duele la cabeza. Le duele todo. Las manos están muy sucias. La ropa está sucia. Todo está sucio y Ben tiene hambre. Para el almuerzo come arroz con frijoles. Solo quiere ir a la casa de los Zamora para comer una cena deliciosa.

La única cosa buena en la opinión de Ben es hablar con las chicas. Es muy interesante hablar con ellas y aprender de ellas. Quiere saber lo que piensan. El tiempo pasa más rápido cuando Ben está con Anabel y Rosa.

Ben le dice a Anabel:

—Una chica tan bonita como tú en California probablemente sería una animadora.

—¿Animadora? ¿Qué es una animadora? —le

responde.

—Muchas chicas bonitas en los Estados Unidos son animadoras. Una animadora tiene que ir a todos los partidos de fútbol. Cuando hay un touchdown, las animadoras gritan con mucho entusiasmo.

—¿Qué es un touchdown? —le pregunta Anabel a Ben.

—Aquí se juega el fútbol con los pies. Allá se juega fútbol más con las manos. Un chico tira la pelota a otra persona y corre. Si el chico corre mucho, marca un touchdown. Vale 6 puntos. Es muy diferente al fútbol de aquí —le explica Ben.

—¿Y las escuelas tienen equipos de fútbol? —le pregunta Anabel.

—Sí. Una escuela secundaria es un high school. Un high school tiene equipo de fútbol. Compiten contra otros high schools. Es muy importante jugar bien a causa de la competitividad entre las escuelas —le dice Ben.

—No quiero ser animadora —le dice Anabel—. Quiero ser doctora.

—¿Una doctora? ¡Qué bueno! —le dice Ben—. Imagino que sería muy difícil llegar a ser doctora.

—Sí, pero todo lo importante requiere mucho trabajo. Además, me gusta la escuela.

—¿Cómo es tu escuela?

—Está cerca de aquí —le responde Anabel—. Donde

vivimos hay una escuela primaria. No hay una escuela secundaria. Mi escuela es una escuela católica. Es una escuela muy difícil. Trabajo muchísimo en la escuela. Quiero tener éxito. Quiero ser doctora. ¿Y tú?

Ben piensa. No trabaja mucho en la escuela. Tiene notas normales. No son excepcionales. Saca muchas Bs y Cs. No le gusta estudiar. No le gusta la tarea. No quiere decirle a Anabel toda la verdad.

—A veces trabajo duro —le dice Ben—. Pero no mucho. No me gusta la escuela.

—Vamos a casa a comer —les grita el Sr. Zamora.

—Por fin —dice Ben—. Estoy tan cansado.

—¿Cansado? —le dice Anabel—. ¿Por qué? Hoy es un día corto. Vamos a casa temprano.

—Bueno, no estoy súper cansado —le dice Ben—. Estoy un poco cansado. Probablemente estoy cansado por el viaje.

Ben no está diciendo la verdad. Él no está un poco cansado. Está más cansado que nunca. En este momento está más cansado que en toda su vida. No lo puede creer.

Anabel sabe que Ben está muy cansado y sonríe. Ella sabe que Ben no está acostumbrado a trabajar. A trabajar realmente.

Ben vuelve a la casa de los Zamora para cenar. Se sienta a la mesa. Comen casamiento. Es una mezcla de frijoles, arroz y queso. Ben está muy contento porque

44

está comiendo algo con queso. Come y come. La comida es buena esta noche. Es súper buena debido al día largo de trabajo.

CAPÍTULO DIEZ
Un problema entre amigos

El tiempo pasa y Ben se acostumbra a la vida en El Salvador. Pero para él la vida todavía es muy dura. Está sorprendido con las familias que ve. Por ejemplo, no hay muchas familias con carros. La familia Zamora tiene agua corriente en la casa. Hay muchas familias que no tienen eso.

Casi todos cultivan algo. Cultivan maíz y frijoles. Trabajan duro. Y trabajan más duro ahora a causa del terremoto. Todos tienen vidas duras pero parecen felices. Ben no comprende cómo es posible eso. No sabe cómo pueden estar tan contentos. Él ve que no tienen cosas materiales y sus casas son pequeñas. Además tienen que trabajar mucho y el trabajo es duro. A Ben no le parece una buena vida. No entiende por qué todos parecen contentos.

Un día Ben está hablando con Anabel. Le pregunta:

—¿Cómo pueden estar tan felices con lo poco que tienen?

Anabel mira a Ben y le dice:

—Tú. Pobre gringo. El pobre americano. No entiendes la vida de aquí.

—¿Yo? ¿No entiendo? —le pregunta Ben a ella—. ¿Por qué dices que no entiendo? Creo que tú no entiendes lo buena que puede ser la vida con todo lo que tenemos nosotros. Nosotros tenemos suerte porque lo tenemos todo.

Anabel se ríe. Ahora Ben sabe que Anabel se ríe de él.

—Tú crees que lo sabes todo, Ben Sullivan. Pero no es cierto. No lo sabes todo. Vienes aquí a El Salvador para trabajar con los pobres salvadoreños. No necesitamos tu ayuda. Nosotros estamos perfectamente bien sin tu ayuda. ¿Por qué no vuelves a California? Vuelve a tus casas grandes y tus carros hermosos. Vuelve a tu país perfecto.

Ben está sorprendido. Ben ha trabajado muchísimo con Anabel. Ha trabajado mucho con ella este verano. Han hablado. Ben pensaba que eran amigos. Pensaba que Anabel podría ser su novia. Mindy no le escribió ni una vez durante el verano.

Pero ahora Ben no sabe. Ben no entiende a Anabel. Parece una chica de otro planeta. ¿Por qué está así? Ben no entiende a esta chica. No entiende a la chica, ni la cultura ni nada. No está seguro de nada. Lo único que Ben sabe es que Anabel no está contenta con su manera de pensar. Los dos son de mundos tan diferentes.

—Tal vez regreso a California —le dice Ben a

Anabel—. No entiendo la vida aquí. Todo es tan diferente. Voy a regresar a la civilización. Voy a regresar donde todo está civilizado.

Ahora Anabel está enojada. Grita:

—¿Civilizado? ¿Qué estás diciendo? Crees que Uds. son los únicos civilizados del mundo. ¿Los gringos? Ben, no sabes mucho. Nosotros somos mucho más civilizados de lo que tú crees. Sabemos lo que es importante en la vida. No necesitamos todo lo que tú crees que es importante. No tenemos que vivir en una casa grande. Ben, somos ricos sin esas cosas. Pero tú nunca vas a comprender eso.

—Uds. no saben cómo es una vida con todo lo que tenemos. No saben lo buena que es la vida. Quiero volver a California donde tengo una vida buena. No me gusta nada de aquí —le grita Ben.

—¡Vete! ¡Vete de aquí! —le grita Anabel—. No te necesitamos. Podemos construir nuestras casas con nuestras propias manos. No necesitamos tus manos. No necesitamos gringos ricos aquí en El Salvador.

Ben se va. Ben está cansado de todo. Está harto de todo. No más. No quiere nada más de la vida de El Salvador. El experimento ya terminó. Solo quiere volver a California. Empieza a caminar. Camina por mucho tiempo mientras sigue pensando. Tal vez va a caminar hasta California.

Ben va al río. Se sienta. Se lava las manos en el agua. No le gusta nada de aquí. No le gusta el trabajo. No le gusta el calor. No le gusta construir casas. No le gusta hablar español. Y ahora no le gusta Anabel.

Más tarde vuelven a casa. Ben y Anabel no se hablan. Los dos están enojados. Ben está cansado y se acuesta temprano. Tiene ganas de volver a su propio país.

CAPÍTULO ONCE
El día festivo

Es el 6 de agosto. Falta solamente una semana para terminar el verano. Hoy es un día festivo. Todos hablan del día. Dicen que es una celebración importante en El Salvador. Es un día en honor del santo patrón de El Salvador. Ben no tiene que trabajar. Nadie trabaja durante un día festivo. Tal vez va a estar solo durante todo el día. Tal vez puede olvidarse de todo. Puede olvidarse de la gente de El Salvador. Puede pensar y estar solo. Puede pensar en su familia en California y su casa.

Ben se despierta y se siente mejor. Está muy relajado. Mira su reloj. Son las nueve de la mañana. Es muy tarde. Ben durmió mucho. Siempre se levanta temprano para ir a trabajar pero hoy no tiene que trabajar.

Se levanta y va al comedor. Todos en la familia ya están despiertos. Las chicas están en la cocina. Están preparando una comida grande. Están preparando frijoles y arroz. Pero hoy hay algo nuevo. Hay tamales. La cocina huele muy bien. El Sr. Zamora está fuera de la casa. Está dando de comer a los pollos.

Ben mira a Anabel. No sabe qué decirle. No sabe si ella todavía está enojada. No quiere pelear con ella.

¿Qué puede decirle después de todo lo que pasó ayer?

—Hola. Parece que dormiste mucho —le dice la Sra. Zamora.

—¡Qué bueno! —le dice Rosa—. Hoy es un día muy divertido. Es El Salvador del Mundo.

—Sí. Es un día festivo muy importante aquí. Es en honor del santo patrón de El Salvador —le dice la Sra. Zamora.

—¡Qué bueno! —responde Ben.

Ben se sienta y empieza a comer arroz.

—¿Qué hacen durante la fiesta? —pregunta Ben.

—Hay una celebración. Un desfile. Comemos. Es un día fantástico —le dice la Sra. Zamora.

—Comemos todo el día —le dice Rosa—. Hasta la medianoche.

—Hay fuegos artificiales también —le dice la señora.

—¡Qué bueno! Me encantan los fuegos artificiales. Nosotros tenemos fuegos artificiales cada 4 de julio, el día de nuestra independencia —les dice Ben.

—A la medianoche hay muchos fuegos artificiales —le dice Rosa.

El desfile comienza por la tarde. Ben va con la familia. Mientras Ben camina con la familia, ve otra cabra. Es la misma cabra que Ben ya conoció antes. La cabra va hacia Ben. Ben está muy preocupado porque no quiere más problemas con esta cabra mala. Ben piensa que esta cabra es una cabra loca. Ben no tiene opciones para escapar. La cabra mira a Ben con ojos intensos y se le acerca. Ben no sabe qué hacer. Tiene miedo y quiere gritar. En un instante una niña de 10 años habla con la cabra y va hacia ella. Ella le dice:

—Cabra, cálmate.

La cabra escucha a la niña y se calma. Ben también se calma. Está contento porque la niña es su heroína.

Ben continúa al desfile con la familia. Anabel está al lado de Ben durante el desfile. No dice mucho. No dice nada. Ben ve que el desfile es muy diferente a los desfiles americanos. El desfile comienza con los líderes religiosos. Los desfiles en los Estados Unidos comienzan con los bomberos o la policía pero aquí comienzan con los líderes de la iglesia. Es muy interesante observarlo todo.

—Parece que en El Salvador tienen mucho respeto hacia los líderes religiosos, ¿no? —le pregunta Ben a Anabel.

Anabel mira a Ben. Está sorprendida porque Ben le habló.

—Sí, creo que sí —le dice ella.

Anabel tiene fría la voz. Ben y Anabel no se hablan más durante el desfile.

Después del desfile todos van a la plaza. Hay mesas allá y todos se sientan. Hay mucha comida en las mesas.

Hay arroz, frijoles, tortillas y también tamales y queso. Hay pupusas. Hay fruta fresca con crema. Hay licuados, café y gaseosas. Todo parece sabroso. Aun los frijoles y arroz.

Ben tiene un plato grande de comida. Se sienta y come con los otros. Habla con sus amigos. Habla con los Zamora. Habla con otros amigos. Lo mira todo. Se da cuenta de que tiene muchos amigos aquí en El Salvador. Son más que amigos. Son como familia. La gente aquí es diferente. Ben cree que la gente aquí vive con más amor y más cariño. Ben no sabe exactamente lo que es, pero sabe que hay algo aquí en esta cultura que no existe en los Estados Unidos.

Ben sigue observando. Las familias parecen muy unidas. Hoy las familias están muy juntas. Los niños están con sus familias. Están jugando y sonriendo. Ben ya lleva casi tres meses con estas personas en el pueblito. Piensa en el primer día. Toda la pobreza. No tienen cosas que antes eran importantes para él. Pero tienen algo que sus amigos no tienen. Ben no sabe exactamente lo que es. Solo sabe que ellos tienen algo.

Ben entiende una cosa. Anabel tiene razón. Estas personas son ricas. No necesitan casas grandes para ser felices. No necesitan muchas cosas para tener la felicidad. Son felices sin todas esas cosas.

Después de todo, tienen familia y amigos. Tienen

cariño. Tienen sus iglesias y tienen comida. Tienen todo lo que necesitan para ser felices.

Es cierto que hay tristeza aquí. No son perfectos. Hay enfermos. Terremotos. Hay problemas. Pero tienen vidas simples. No tienen vidas complicadas. Viven felices.

Ben tiene que encontrar a Anabel. Tiene que pedir perdón. Tiene que decirle que ella tiene toda la razón. Ben realmente tiene mucho amor por la gente aquí en El Salvador. Es loco pero es la verdad.

Ben encuentra a Anabel. Está con dos amigas. Están charlando. Se sienta al lado de ella. Anabel no mira a Ben. Sigue comiendo y charlando con sus amigas.

Ben espera unos minutos. Por fin las dos amigas se levantan y van por más comida. Ben ya tiene su oportunidad.

—Anabel —le dice Ben—. Perdóname.

—¿Por qué? —le responde Anabel.

—Por todas las cosas que dije de El Salvador. No tenía razón acerca de tu país. No tenía razón acerca de mi país. Tienes una vida súper buena aquí. Veo que tienen todo lo importante —le dice Ben.

—¿Por qué piensas eso, Ben? —le pregunta Anabel.

—Ahora veo todo. Hoy en el día festivo veo a la gente aquí —le dice Ben—. Veo a familias unidas. Familias con mucho amor. Niños sonriendo. Gente feliz.

—Ben, es cierto. Somos felices —le contesta

Anabel—. Es cierto que a veces quiero tener más. Quiero tener ropa más bonita o más cara. Quiero tener todas las cosas que Uds. tienen. Pero tenemos todo lo importante.

—Ya entiendo eso, Anabel —le dice Ben—. Ya veo lo mucho que tienen.

—Vamos Ben —le dice Anabel.

Los dos se levantan. Juegan. Bailan. Bailan hasta muy tarde en la noche. A medianoche hay fuegos artificiales. Todo es hermoso. La vida es buena.

CAPÍTULO DOCE
Ben vuelve a casa

Ben sale del avión. El aire es fresco en San Francisco. Ben sale del avión con su guayabera, su camisa de El Salvador. Busca a sus padres. Ben está emocionado.

—Ben. Aquí estamos —le grita la madre de Ben.

Su madre corre hacia él. Está sonriendo. Parece muy contenta de ver a su hijo.

El padre de Ben está con ella. Él también parece muy contento de ver a su hijo después de tres meses.

—¡Mamá! ¡Papá! —les grita Ben.

Corre hacia ellos. Está muy contento de verlos. Les da un gran abrazo.

—Ben, te ves muy bien. Muy guapo —le dice la mamá—. Con esos músculos grandes, parece que trabajaste mucho.

Es verdad que Ben tiene músculos más grandes.

—Sí, mamá. Construir casas es mejor que hacer ejercicio en el gimnasio.

—Te ves maravilloso —le dice el padre.

Los señores Sullivan van al carro con Ben. Ben les habla acerca de todo. Les cuenta acerca de la comida. El terremoto. El trabajo duro. La gente. Les cuenta acerca de las cabras malas y la vida en El Salvador.

—Veo que estás contento de estar aquí de nuevo. Hace mucho tiempo que no te vemos Ben. Me alegro mucho de verte —le dice la mamá.

Ben está contento pero algo es extraño. Extraña El Salvador. Extraña a la gente. Todo parece diferente aquí ahora. La ciudad es muy grande. Todo parece rápido. Todos los carros nuevos. Todos con ropa elegante.

Ben piensa en el otro mundo. El mundo de Santa Lucía. Piensa en Anabel y la familia Zamora. California ahora parece diferente.

Todos van a cenar. Cenan en Steak Palace. Ben come bastante. La comida es sabrosa. No extraña los frijoles y arroz con tortillas.

Después de cenar quiere ir a la casa de Mindy. Quiere verla y hablar con ella. Quiere contarle de su verano en El Salvador. Ben no entiende por qué Mindy no le escribió pero quiere hablar con ella de todos modos.

Va a la casa de Mindy. Toca a la puerta. Mindy abre la puerta. Mira a Ben y le grita:

—Hola Ben. ¿Cómo estás? Te ves fantástico.

—Gracias Mindy. ¡Tú te ves muy hermosa y tu pelo está muy bonito!

Los dos se abrazan.

—¿Cómo te fue en París? —le pregunta Ben a Mindy.

—París es lo mejor. Puedes comprar de todo. La

ropa de París es mejor que la ropa de aquí. Me encanta comprar. Me encanta comprar en París —le dice Mindy.

Mindy sigue hablando de París. Sigue hablando de ropa. Ropa de diseño. Ropa de París. Zapatos de París. Ropa que cuesta mucho pero no importa. Es ropa fantástica.

Ben quiere hablar de El Salvador. Quiere hablarle de sus experiencias. El día festivo. Las cabras malas. El trabajo duro. Quiere contarle todo pero Mindy no le pregunta nada de su verano. Solo habla de París. Por fin deja de hablar y hace una pregunta.

—Ben —le dice Mindy—. ¿Dónde está el carro? ¿El carro nuevo?

—¿Mi carro? —le pregunta Ben.

—Sí, Ben —le dice Mindy—. ¿Recuerdas lo que es un carro? Nosotros tenemos carros en California. Probablemente no hay carros en Centroamérica. No recuerdas. Fuiste a Centroamérica para obtener tu propio carro. Es la única razón por la que fuiste.

Ben no sabe qué decirle a Mindy. No lo puede explicar. No le puede hablar de El Salvador. Sabe la verdad. No puede hablar con ella de su verano. Mindy nunca podría entender. Mindy solo entiende de zapatos, ropa, París, carros y partidos de fútbol. No podría entender la vida buena en El Salvador.

—No tengo un carro ahora —le dice Ben.

En ese momento llega un chico en un Mercedes enfrente de la casa de Mindy. Es Jason. Jason Smithsonian. Es un chico muy popular de la escuela. Sus padres son muy ricos. Ya tiene su propio Mercedes.

Mindy va hacia Jason. Le dice a Ben:

—Ben, llámame cuando tengas tu carro nuevo. Quiero verlo.

Mindy se va con Jason. Ben los mira mientras se van y piensa que hacen una pareja hermosa. Mindy es perfecta para Jason y Jason es perfecto para Mindy. Tal vez uno pensaría que lo tienen todo. Después de todo, tienen ropa de París y un Mercedes.

Pero Ben lo ve todo con ojos diferentes ahora. Ben piensa que Mindy no es tan bonita como antes. Él ya no quiere salir con Mindy.

Ben vuelve a casa y escribe. Le escribe un mensaje largo a Anabel. La extraña mucho y también extraña El Salvador. Ahora se da cuenta de la lección de vida que ha recibido.

CAPÍTULO TRECE
Su propio auto

A la mañana siguiente Ben duerme hasta tarde. Está muy cansado de su viaje. Parece extraño dormir tanto. Se levanta y come cereal. Le encanta la comida de los Estados Unidos.

Su padre entra al comedor. Es sábado así que sus padres no tienen que trabajar.

—Bueno hijo —le dice el papá—. Ya has tenido mucho tiempo de pensar en el carro. ¿Quieres un Toyota Prius? ¿Qué tipo de carro quieres?

Ben no lo puede creer. Por fin puede tener un carro nuevo. Puede tener un carro que cuesta veinticinco mil dólares. Por fin puede tener su carro nuevo.

—Papá. No sé. No estoy seguro —le dice Ben.

—¿No quieres un Prius? No importa. Podemos comprar otro Toyota o un Ford. No importa —le responde el padre.

—No. No. Ese no es el problema —le contesta Ben.

—¿Cuál es el problema? —le pregunta el papá.

—Papá. Sigo pensando en la gente de Santa Lucía. La mayoría de ellos no tienen carros. No tienen carros nuevos ni viejos. Y ellos están bien.

—Es verdad, hijo —le dice el papá.

—Las personas de Santa Lucía necesitan el dinero para tener donde vivir. Hay familias que todavía no tienen casa. Todavía sufren a causa del terremoto. Papá, ¿por qué no le das el dinero del carro a la gente de Santa Lucía? Ellos necesitan más las casas de lo que yo necesito un auto. No tenía un auto antes y no lo necesito ahora.

El padre de Ben casi se desmaya. No puede creer lo que está diciendo su hijo.

—¿Estás seguro, Ben?

—Papá. Estoy seguro. No quiero el auto —le contesta Ben.

—Estoy muy orgulloso de ti, hijito —le dice el Sr. Sullivan—. Es increíble. Es algo maravilloso.

—Papá, me siento bien con esto. Me siento muy bien —le dice Ben—. Puedo comprar un carro en el futuro pero ahora ellos tienen mucha más necesidad que yo.

—Ben, tú eres fenomenal —le dice el papá.

Ben sonríe. Come más cereal. Su padre piensa que es fenomenal. ¡Qué bueno! Tal vez pueda tener un carro para su próximo cumpleaños. O tal vez regrese a El Salvador.

Glosario

A

a *to, at*
  a comer *let's eat*
  a mano *by hand*
abrazan: se abrazan *they hug each other*
abrazaron *they hugged*
abrazo(s) *hug(s)*
abre *s/he opens*
  se abre *opens (is opened)*
abrió *s/he opened*
acá: por acá *here*
acaba de llegar *s/he just arrived*
acepta *s/he accepts*
aceptaba *s/he accepted*
aceptan: se aceptan *are accepted*
acerca (de) *about*
acerca: se acerca a *s/he comes up to, gets close to*
  se le acerca *s/he gets close to him*
acercaban: se acercaban *they came up to, got close*
acercan: se acercan *they come up to, get close*
acercó: se acercó *s/he came up to, got close to*
acostaba: se acostaba *s/he went to bed*
acostar *to go to bed*
acostó: se acostó *s/he went to bed*
acostumbra: se acostumbra *s/he is getting used to, is getting accustomed to*

acostumbrado *accustomed, used to*
acostumbró: se acostumbró *s/he got used to, got accustomed to*
acuesta: se acuesta *s/he goes to bed, lies down*
además *besides*
adiós *bye, goodbye*
adobe *adobe*
adoptamos *we adopted*
aeropuerto *airport*
afectó *affected*
agencia *agency*
agosto *August*
agua *water*
ahora *now*
aire *air*
al *to the*
  al día siguiente *the next day*
  al mirar *upon looking at*
alcohol *alcohol*
alegro: me alegro de *I'm happy to*
algo *something*
algún/alguna *some*
algunas/algunos *some*
allá *there*
allí *there, over there*
almuerzo *lunch*
  para el almuerzo *for lunch*
amarillo(s) *yellow*
americana(s)/americano(s) *American(s)*
amiga(s) *friend(s) (female)*
amigo(s) *friend(s)*

amor *love*
anda *s/he walks*
animadora(s) *cheerleader(s)*
animales *animals*
año(s) *year(s)*
antes (de) *before*
  antes de comer *before eating*
aprender *to learn*
aquí *here*
árbol *tree*
arriba *up*
arroz *rice*
artificiales: fuegos artificiales
  fireworks
así *like this*
  así que *so (that), as a result*
asiste a *s/he attends*
asistía a *s/he attended*
asusta *s/he scares*
asustó *s/he scared*
atención *attention*
aterriza *it lands*
aterrizó *it landed*
aun *even*
aún *still*
aunque *although, though*
auto(s) *car(s), automobile(s)*
autobús *bus*
autopistas *highway*
avión *airplane*
ayer *yesterday*
(la) ayuda *(the) help*
ayuda *s/he helps*
ayudaban *they helped*
ayudan *they help*
ayudar *to help*
ayudarme *to help me*

ayudarte *to help you*
azúcar *sugar*
azul(es) *blue*

B
bailan *they dance*
bailaron *they danced*
baloncesto *basketball*
banana(s) *banana(s)*
baño *bathroom*
barata *cheap*
bastante *a lot, plenty*
bebe *s/he drinks*
bebía *s/he drank, was drinking*
bebido: había bebido *s/he had*
  drank
bebió *s/he drank*
bendecir *to bless*
bicicleta *bicycle*
bien *well, OK, very*
  más bien *rather*
bienvenido(s) *welcome*
blanco *white*
bloques *blocks*
blusa *blouse*
boleto *ticket*
bomberos *firefighters*
bonita(s)/bonito(s) *pretty*
buen/buena(s)/bueno(s) *good*
  bueno: qué bueno *great,*
  terrific
bus(es) *bus(es)*
busca *s/he looks for*
buscar *to look for*
buscó *s/he looked for*

C

cabeza *head*
cabra(s) *goat(s)*
cada *each*
cae: se cae *s/he falls*
caer/caerse *to fall down*
café *coffee*
caído: se habían caído *they had fallen*
calle *street*
calma: se calma *s/he calms down*
cálmate *calm down (command)*
calmó: se calmó *s/he calmed down*
calor *heat*
   tiene calor *s/he is hot*
   hace calor *it is hot*
cama *bed*
cambiar *to change*
cambiará *will change*
camina *s/he walks*
caminaba *s/he walked*
caminan *they walk*
caminar *to walk*
caminaría *s/he would walk*
caminaron *they walked*
caminó *s/he walked*
camisa *shirt*
campo *countryside*
cansada/cansado *tired*
capital *capital*
capítulo *chapter*
cara *face, expensive*
Caribe *Caribbean*
cariño *affection*
carne *meat*

carpas *tents*
carreteras *roads*
carro(s) *car(s)*
casa *house*
casamiento *"wedding," a Salvadoran dish*
casas *houses*
casi *almost*
castaños *brown*
castigo *punishment*
catedral *cathedral*
católica *Catholic*
causa: a causa de *because of*
causado: habían causado *they had caused*
causados *caused*
cayeron: se cayeron *they fell down*
cayó: se cayó *s/he fell down*
celebración *celebration*
cemento *cement*
cena *dinner*
cenan *they eat dinner*
cenar *to eat dinner*
cenaron *they ate dinner*
centavos *cents*
centro *center*
Centroamérica *Central America*
centroamericanos: países centroamericanos *Central American countries*
cerca de *close to, near*
cereal *cereal*
cerrada *closed*
charlando *chatting, talking*
chica(s) *girl(s)*
chico(s) *boy(s)*

cierta/cierto *certain, true*
cinco *five*
ciudad *city*
civilización *civilization*
civilizado(s) *civilized*
clientes *customers*
cocina *kitchen*
colones *old currency of El Salvador replaced by the U.S. dollar*
color(es) *color(s)*
come *s/he eats*
comedor *dining room*
cómela *eat it (command)*
comemos *we eat*
comen *they eat*
comenzaban *they were starting*
comenzado *started*
  había comenzado *it had started*
comenzamos *we started/began*
comenzar *to start, to begin*
comenzó *s/he/it started, began*
comer *to eat*
  a comer *let's eat*
comerla *to eat it*
comía *s/he ate, was eating*
comida *meal, food*
comido: había comido *s/he had eaten*
comiendo *eating*
comienza (a) *begins (to), starts (to)*
comienzan *they begin, they start*
comieron *they ate*
comió *s/he ate*

como *like*
cómo *how*
  cómo no *sure, of course*
cómoda *comfortable*
compactos: discos compactos *CDs*
competitividad *competitiveness*
compiten *they compete*
complicadas *complicated*
comprar *to buy*
comprende *s/he understands*
comprender *to understand*
comprendía *s/he understood*
comprendo *I understand*
computadora(s) *computer(s)*
con *with*
confundido *confused*
conmigo *with me*
conoce *s/he knows (a person), is familiar with*
conocen *they know (a person), they meet, they are familiar with*
conocer *to know, meet*
conoces *you know*
conocía *s/he knew*
conocían *they knew*
conocido: había conocido *s/he had met*
conoció *s/he knew, met*
conozco *I know*
construcción *construction*
construidas *constructed (adjective)*
construir *to construct, to build*
construye *s/he constructs, builds*

construyendo *constructing, building*
construyéndola *constructing it*
contarle *to tell her*
contenta(s), contento(s) *happy*
contentos de *happy to*
contesta *s/he answers*
contestó *s/he answered*
contigo *with you*
continúa *s/he continues*
continuó *s/he continued*
contó *s/he told*
contra *against*
conversaciones *conversations*
conversar *to talk, to converse*
corras: no corras *don't run (command)*
corre *s/he runs*
correr *to run*
corres *you run*
corría *s/he ran, was running*
corriendo *running*
corriente: agua corriente *running water*
corrió *s/he ran*
corto *short (distance or time)*
cosa(s) *thing(s)*
costa *coast*
costaba *it cost (past tense)*
cree *s/he believes, thinks*
creer *to think, to believe*
crees *you think, you believe*
creía *s/he believed, was believing*
crema *(whipped) cream*
creo *I think, I believe*

crucero *cruise (noun)*
cruz *cross*
cuál *which, what*
cualquier *any*
cuando *when*
cuánto *how much*
cuarto(s) *room(s)*
cuatro *four*
cuenta *s/he tells*
　　se da cuenta *s/he realizes*
cuesta *it costs*
cultivaban *they cultivated, farmed*
cultivan *they cultivate, farm*
cultura *culture*
cumpleaños *birthday*
cumplió 16 años *s/he turned 16*

D
da *s/he gives*
　　se da cuenta *s/he realizes*
daba: daba la impresión *it gave the impression*
daban *they gave*
dado: se había dado cuenta *s/he had realized*
dan *they give*
dando de comer *feeding*
daño(s) *damage(s)*
dar *to give*
darte *to give (to) you*
das *you give*
de *of, from*
　　más de *more than*
　　de veras *really*
debido a *due to*

decía *s/he said, was saying*
decide *s/he decides*
decidió *s/he decided*
decir *to say, to tell*
  quieres decir *you mean*
decirle *to say to him/her*
decirme *to say to me, to tell me*
deja de *s/he stops*
dejó de *s/he stopped*
del *of the*
deliciosa *delicious*
deportivo *sports (adj.)*
desayuno *breakfast*
desfile(s) *parade(s)*
desmaya: se desmaya *s/he faints*
desmayó: se desmayó *s/he fainted*
despacio *slowly*
despertó: se despertó *s/he woke up*
despiden: se despiden de *they say goodbye to*
despidieron: se despidieron *they said goodbye*
despierta/despiertos *awake*
despierta: se despierta *s/he wakes up*
después *afterwards, later*
después de *after*
destrucción *destruction*
destruida(s) *destroyed (adj.)*
destruyó *it destroyed*
detrás de *behind*
día *day*
dice *s/he says, tells*
dicen *they say, they tell*

dices *you say, you tell*
diciendo *saying, telling*
diez *ten*
diferente(s) *different*
difícil *difficult*
dije *I said*
dijeron *they said, told*
dijo *s/he said, told*
dinero *money*
dio *s/he gave*
dirección *direction*
director *director*
discos compactos *CDs*
diseño: ropa de deseño *designer clothing*
diversión *fun (noun)*
divertido *fun (adj.)*
divertirse *to have fun*
doce *twelve*
doctora *doctor (female)*
dólares *dollars*
dolarizado *dollarized*
dolía: le dolía *his/her _ hurt*
dolor *pain*
donde *where*
dónde *where*
dormido: había dormido *s/he had slept*
dormir *to sleep*
dormiste *you slept*
dormitorio(s) *bedroom(s)*
dos *two*
drogas *drugs*
duele: le duele *his/her __ hurts*
duerme *s/he sleeps*
dulce *sweet*
dura *it lasts*

dura(s)/duro(s) *hard, difficult*
durante *during, for*
durmiendo *sleeping*
durmió *s/he slept*
duró *it lasted*

E

e *and*
edificio(s) *building(s)*
ejemplo *example*
ejercicio *exercise*
el *the*
él *he, him*
elegante *elegant*
ella *she, her*
ellas *them, they*
ellos *them, they*
embargo: sin embargo
  nevertheless
emocionado *excited*
emocionante *exciting*
empacar *to pack*
empezar *to start, to begin*
empezó *s/he started*
empieza *s/he starts*
en *in, on, at*
encanta: le encanta *s/he loves*
  me encanta *I love*
encantaba: le encantaba
  s/he loved
encantan: me encantan
  I love
encante: no hay nada aquí
  que me encante *there is*
  nothing here that I love
encontrar *to find*
encontró *s/he found*

encuentra *s/he finds*
enfermo *sick*
enfermos *sick people*
enfrente de *in front of*
enojada(s)/enojado(s) *angry*
entender *to understand*
entenderlo todo *to understand*
  it all
entendía *s/he understood*
enteros *entire*
entiende *understands*
entiendes *you understand*
entiendo *I understand*
entra *s/he enters*
entran *they enter*
entrar *to enter*
entraron *they entered*
entre *between*
entró *s/he entered*
entusiasmo *enthusiasm*
equipo(s) *team(s)*
era *s/he was*
eran *they were*
eres *you are*
es *s/he / it is*
esa *that*
esas *those*
escapar *to escape*
escribe *writes*
escribiendo *writing*
escribió *s/he wrote*
escrito: había escrito *s/he had*
  written
escucha *s/he listens to*
escuchado *listened*
  había escuchado *s/he had*
  listened

escuchar *to listen (to)*
escuchó *s/he listened*
escuela(s) *school(s)*
ese *that, that one*
eso *that*
   por eso *that's why*
esos *those*
espacio *space*
espalda *back*
español *Spanish*
especial *special*
espera *s/he waits*
esperar *to wait*
esperó *s/he waited*
esta *this, this one*
está *s/he is*
estaba *s/he was*
estaban *they were*
estado: había estado *s/he had been*
Estados Unidos *United States*
estamos *we are*
están *they are*
estar *to be*
estas *these*
estás *you are*
este *this, this one*
esté: no le gusta que una cabra mala lo esté siguiendo *he doesn't like that a bad goat is following him*
esto *this*
estos *these*
estoy *I am*
estudiado: había estudiado *s/he had studied*
estudiante(s) *student(s)*

estudiar *to study*
estudió *s/he studied*
estufa *stove*
estuviera: no le gustó que una cabra mala lo estuviera siguiendo *he didn't like that a bad goat was following him*
estuvo *s/he was*
Europa *Europe*
evidencias *pieces of evidence*
exacta *exact*
exactamente *exactly*
excepción *exception*
excepcionales *exceptional*
existe *it exists*
existía *it existed*
éxito *success*
experiencia(s) *experience(s)*
experimento *experiment*
explica *s/he explains*
explicar *to explain*
explicó *s/he explained*
expresión *expression*
extraña *s/he misses*
extrañaba *s/he missed*
extraño *strange*

F
falda *skirt*
falta: falta solamente una semana *only one week remains*
faltaba: faltaba solamente una semana *only one week remained*
familia *family*
familiar *family (adj.)*
familias *families*

fantástica/fantástico *fantastic*
fascinante *fascinating*
favorito *favorite*
felices *happy*
felicidad *happiness*
feliz *happy*
fenomenal *phenomenal*
festivo: día festivo *holiday*
fiesta *party*
fiestas *parties*
fin *end (noun)*
  por fin *finally*
final: al final *at the end*
flor *flower*
formándose *taking shape*
fresa *strawberry*
fresca *fresh*
fresco *cool*
fría *cold*
frijoles *beans*
fruta *fruit*
fue *it was; s/he went*
  ¿Cómo te fue? *How did it go (for you)?*
fuegos artificiales *fireworks*
fuera (de) *outside (of)*
fueron *they went*
fuerte(s) *strong, hard*
fuiste *you went*
fuma *s/he smokes*
fumaba *s/he smoked, was smoking*
funciona *it works, functions*
funcionaba *it worked/functioned*
fútbol *soccer*
futuro *future*

G

ganas: tiene ganas (de) *feels like (doing something)*
gaseosas *soft drinks*
generalmente *generally*
gente *people*
gimnasio *gym*
gobierno *government*
golf *golf*
gorda *fat*
gracias *thanks*
gran/grande(s) *big*
gringo(s) *Caucasion, American(s)*
grita *s/he screams, shouts, yells*
gritan *they scream, shout, yell*
gritar *to scream, to shout, to yell*
gritó *s/he yelled*
gruesa *thick*
guapo(s) *handsome*
guayabera *short-sleeved, loose-fitting shirt*
guerra *war*
gusta *is pleasing, pleases*
  le gusta *s/he likes*
  me gusta *I like*
gustaba: le gustaba *s/he liked*
gustaban: le gustaban *s/he liked*
gustado: no le había gustado *s/he hadn't liked*
gustan *they are pleasing*
  le gustan *s/he likes them*
  me gustan *I like them*
  te gustan *you like them*
gustar: le va a gustar *s/he is going to like it*

gusto *pleasure*
   mucho gusto *nice to meet you*
   con gusto *with pleasure*
gustó: no le gustó *s/he didn't
   like*

H
ha *s/he has*
   ha visto *s/he has seen*
   ha trabajo *s/he has worked*
   ha pasado mucho tiempo *a
   lot of time has passed*
   ha recibido *s/he has received*
había *there was/were; s/he had
   (done something)*
   había comido *s/he had eaten*
   había escuchado *s/he had
   listened to*
   había ido *s/he had gone*
   se había caído *it had fallen*
habían *they had (done
   something)*
   habían causado *they had
   caused*
   se habían caído *they had
   fallen*
habla *s/he speaks, talks*
hablaba *s/he spoke, was
   speaking*
hablaban *they spoke, were
   speaking*
hablado: han hablado *they
   have talked, they have spoken*
hablan *they talk*
hablando *talking*
hablar *to talk*
hablarle *to talk to him/her*

hablaron *they spoke, talked*
habló *s/he spoke, talked*
hace *it makes, it does*
   hace dos meses *two months
   ago*
   hace una pregunta *asks a
   question*
   hace mucho tiempo *it has
   been a long time*
   hace calor *it is hot (weather)*
hacen *they do, they make, you
   (all) do, you (all) make*
hacer *to do, to make*
   **es mejor que hacer
   ejercicio** *it is better than
   doing exercise*
hacerlo *to do it*
hacia *towards*
hacía *s/he did, was doing*
   hacía calor *it was hot*
   hacía dos meses *two months
   ago*
hacían *they made*
haciendo *doing, making*
hambre *hunger*
   tiene hambre *is hungry*
han hablado *they have talked,
   they have spoken*
harto de todo *fed up with
   everything*
has tenido *you have had*
hasta *until, even*
hay *there is, there are*
   hay que *it is necessary, one
   must*
hecho: había hecho *it had
   done*

helado *ice cream*
hermanas *sisters*
hermanita *little sister*
hermano *brother*
hermanos *brothers (or a mix of brothers and sisters)*
hermosa/hermoso(s) *beautiful*
heroína *hero*
hija *daughter*
hijito *son (term of endearment)*
hijo *son*
hizo *s/he did, made*
hola *hi, hello*
hombre *man*
honor *honor*
hora(s) *hour(s), time*
  es hora de *it's time to*
  está a dos horas de *it's two hours from*
horrible *horrible*
hoy *today*
hubo *there was, there were*
huele *smells*
huevos *eggs*

I
iba *s/he went, was going*
iban *they went, were going*
idea *idea*
ido: había ido *s/he had gone*
iglesia(s) *church(es)*
imagino *I imagine*
importa *it matters*
importaba *it mattered*
  no le importaba *it didn't matter to him*
importaban *they mattered*

  no le importaban *they didn't matter to him*
importan *(they) matter*
  no le importan *they don't matter to him*
importante(s) *important*
impresión *impression*
incidente *incident*
incluso *even*
incómoda/incómodo *uncomfortable*
increíble *incredible*
independencia *independence*
información *information*
ingeniero *engineer*
instante *instant*
intensos *intense*
interesante(s) *interesting*
ir *to go*
irte: vas a irte *you're going to leave*
isla *island*

J
jamón *ham*
joven *young man, young*
jóvenes *young people*
juega *s/he plays*
  se juega *it is played*
juegan *they play*
juego(s) *game(s)*
jugaba *s/he played, was playing*
jugando *playing*
jugar *to play*
  jugar al baloncesto *to play basketball*
jugaron *they played*

julio *July*
juntas *together*

L
la *the, her, it*
lado *side*
  al lado *beside*
larga/largo *long*
las *the*
lava *s/he washes*
  se lava las manos *s/he washes his hands*
lavó *s/he washed*
  se lavó las manos *s/he washed his hands*
le *him/her, to him/her*
  le gusta *s/he likes (it is pleasing to him/her)*
  le gustan *s/he likes them (they are pleasing to him/her)*
lección de vida *life lesson*
leche *milk*
lee *s/he reads*
lejos de *far from*
les *(to) them*
levanta: se levanta *s/he gets up*
levantaba: se levantaba *s/he got up*
levantan: se levantan *they get up*
levantaron: se levantaron *they got up*
levantó: se levantó *s/he got up*
leyó *s/he read*
licuado(s) *fruit shake(s) with or without milk*
líderes *leaders*

listo *ready*
llama *s/he calls*
  se llama *s/he is called, is named, calls himself/herself/itself*
llamaba: se llamaba *his/her name was*
llamado *called*
llámame *call me (command)*
llave(s) *key(s)*
llega *s/he arrives*
llegan *they arrive*
llegar *to arrive*
  llegar a ser *to become*
llegaron *they arived*
llegó *s/he arrived*
lleva *s/he carries, brings*
  lleva casi tres meses *he has almost spent three months*
llevaba: llevaba casi tres meses *he had almost spent three months*
llevar *to take*
  te va a llevar *s/he is going to take you*
llueve *it rains*
lo *it, him*
  lo más rápido posible *as fast as possible*
  lo mejor *the best*
  lo que *what*
  lo único *the only thing*
  todo lo importante *everything that is important*
  todo lo que *everything that*
loca/loco *crazy*
local *local*

lógico *logical*
Londres *London*
los *the, them*
lugar(es) *place(s)*

M

madre *mother*
maíz *corn*
mal/mala(s)/malo *bad*
maleta(s) *suitcase(s)*
mamá *mom*
mañana *morning, tomorrow*
manejaban *they drove*
manejan *they drive*
manejar *to drive*
manera(s) *way(s), manner(s)*
  de todas maneras *anyway*
mano(s) *hand(s)*
  a mano *by hand*
máquinas *machines*
maravilloso *marvelous*
marca *brand; s/he scores*
  marca un touchdown *s/he scores a touchdown*
más *more*
  lo más rápido posible *as fast as possible*
  más bien *rather*
  más que nada *more than anything*
materiales: cosas materiales *material things*
mayoría *majority*
me *(to) me*
  me alegro de *I'm happy to*
  me encanta (estar) *I love (being)*

me gusta *I like (it is pleasing to me)*
me gustan *I like them (they are pleasing to me)*
me quedo *I stay*
me siento bien con *I feel good about*
medianoche *midnight*
médica *medical*
médico *doctor*
mejor *better, best*
  lo mejor *the best*
  mejor que *better than*
mejorar *to get better*
mejores *best*
menos *less*
  menos en *except in*
mensaje *message*
mes(es) *month(s)*
mesa(s) *table(s)*
mesita *little table*
metal *metal*
mexicana *Mexican*
mezcla *mixture*
mi *my*
mí *me*
miedo: tiene miedo *is scared*
mientras *while*
mil(es) *thousand(s)*
milla *mile*
miniván *minivan*
minutos *minutes*
mira *s/he looks (at)*
míralo *look at it (command)*
mirar *to look (at)*
miró *s/he looked (at)*
mis *my*

misma *same*
mismo *same*
modelo *model*
modos: de todos modos
  anyway
molesta *(she/he/it) bothers*
molestando *bothering*
momento *moment*
moneda *coin, currency*
montañas *mountains*
morada/morado *purple*
mucha(s)/mucho(s) *much, a lot*
  of, many
muchísimo *a tremendous*
  amount, a great deal
muertas *dead (adj.)*
muerto: habían muerto *they*
  had died
mujer *woman*
mundo(s) *world(s)*
murieron *they died*
murió: se murió *died*
músculos *muscles*
música *music*
muy *very*

N
nacional *national*
nada *nothing*
  más que nada *more than*
  anything
nadar *to swim*
nadie *no one, nobody*
necesidad *necessity*
necesita *s/he needs*
necesitaba *s/he needed*
necesitaban *they needed*

necesitamos *we need*
necesitan *they need*
necesitar *to need*
necesitaron *they needed*
necesitas *you need*
necesito *I need*
negro *black*
nervioso *nervous*
ni *nor, neither*
  ni siquiera *not even*
  ni una vez *not even one time*
niña *little girl*
niñas chicas *small girls*
niños *little children*
no *no*
noche *night*
normal(es) *normal*
norteamericano *American*
nos *to us, for us*
nosotros *we*
nota *s/he notices*
  se nota *it is noticeable*
notas *grades*
notó *s/he noticed*
  se notó *it was noticeable*
novia *girlfriend*
novios *boyfriend and girlfriend*
nuestra(s)/nuestro(s) *our*
nueva *new*
nueve: las nueve *nine o'clock*
nuevo(s) *new*
  de nuevo *again*
nunca *never*

O
o *or*
observa *s/he observes*

observaba *s/he observed, was observing*
observando *observing*
observarlo *to observe it*
observó *s/he observed*
obtener *to obtain, to get*
ocho *eight*
ocupada *busy*
oficial *official*
oficina *office*
ofrece *s/he offers*
ofrecía *s/he offered*
ojos *eyes*
olía *it smelled*
olvidarse de *to forget about*
once *eleven*
opción *option*
opciones *options*
opinión *opinion*
oportunidad *opportunity*
oración *prayer*
orgulloso(s) *proud (adj.)*
otra(s)/otro(s) *another, other(s)*
oye *s/he hears*
oyó *s/he heard*

P
padre *father*
padres *parents*
pagar *to pay*
país *country*
países *countries*
palabras *words*
pan tostado *toast*
papá *dad*
papas *potatoes*
papel *paper*

paquete *package*
para *for, in order (to)*
paran *they stop*
pararon *they stopped*
parece *it seems, appears*
  se parece a *s/he/it looks like*
parecen *they seem, they appear*
pareces *you seem*
parecía *it seemed, appeared*
parecían *they seemed, they appeared*
pared *wall*
pareja *couple*
parte *part*
particular *private*
partidos *games*
pasa *it passes, goes by, happens*
  ¿qué pasa? *what's going on?*
pasaba *it passed, was passing*
pasado *past (adj.), passed*
  ha pasado mucho tiempo *much time has gone by*
pasar *to spend (time)*
  lo va a pasar muy bien *you're going to have a good time*
pasaría *it would pass/go by*
pasas *you spend/pass (time)*
pasó *it passed*
pasteles *cakes*
patrón: santo patrón *patron saint*
pedir perdón *to ask for forgiveness*
pega *s/he hits*
pegar *to hit*
pegó *s/he hit*

pelear *to fight*
pelo *hair*
pelota *ball*
pensaba *s/he thought*
pensaban *they thought*
pensado: había pensado
  s/he had thought
pensando *thinking*
pensar (en) *to think (about)*
pensaría *s/he would think*
pensó *s/he thought*
pequeña(s)/pequeño(s) *small*
perdieron *they lost*
perdón: pedir perdón *to*
  apologize, to ask for forgiveness
perdóname *forgive me*
  (command)
perfecta/perfecto(s) *perfect*
perfectamente *perfectly*
permite: se permite *is*
  permitted, is allowed
  no se permite entrar a nadie
  no one is allowed to enter
permitía: se permitía *was*
  permitted, was allowed
pero *but*
persona *person*
personas *people*
pie *foot*
  a pie *on foot, walking*
piensa (en) *s/he thinks (about)*
piensan *they think*
piensas *you think*
pies *feet*
pintado *painted*
piscina *swimming pool*
placer *pleasure*

plan(es) *plan(s)*
planeta *planet*
planta(s) *plant(s)*
plato *plate*
playa(s) *beach(es)*
plaza *town square*
pobre(s) *poor*
pobreza *poverty*
poco *not much, few, little*
  (quantity)
  un poco (de) *a little bit (of)*
podemos *we can, we are able*
  to
poder *to be able to*
podía *s/he could, was able*
podían *they could, were able*
podría *s/he could, would be*
  able
  podría ser *could be*
policía *police*
pollos *chickens*
pompis *backside*
pone *s/he puts, places*
  se pone *s/he gets, becomes*
popular(es) *popular*
por *for, through, because of, by*
  por fin *finally*
  por qué *why*
  por eso *that's why*
porque *because*
posible *possible*
postre *dessert*
potencia *power*
prácticamente *practically*
preciosas *precious, beautiful*
prefería *s/he preferred*
prefiere *s/he prefers*

prefiero *I prefer*
pregunta *s/he asks*
preguntó *s/he asked*
preocupado *worried (adj.)*
preocupes: no te preocupes
don't worry (command)
prepara *s/he prepares*
preparaba *s/he prepared, was*
preparing
preparando *preparing*
preparar *to prepare*
presento *I present, I introduce*
primaria: escuela primaria
elementary school
primer, primero *first*
probablemente *probably*
problema(s) *problem(s)*
probó *s/he tried*
produce *it produces*
producía *it produced*
profesión *profession*
profesor *(male) teacher*
profesores *teachers*
programa *program*
propia(s)/propio *own*
próxima/próximo *next*
prueba *s/he tastes*
pudiera *s/he could*
si pudiera hablar con las
chicas *if he could talk to the*
girls
pueblito *little town*
pueblo(s) *small town(s)*
pueda *s/he can*
No hay suficiente gente que
pueda ayudar *there aren't*
enough people that can help

tal vez pueda tener un carro
maybe he can have a car
puede *s/he can, is able to*
se puede *one can, is able to*
pueden *they can, are able to*
puedes *you can, are able to*
puedo *I can, am able to*
puerta *door*
puntos *points*
pupusa(s) *thick, hand-made*
corn tortilla(s) with beans and
cheese and/or meat inside
pupusería *a restaurant that*
specializes in pupusas
puso *s/he put*

Q

que *that, than*
qué *what, how, what a*
qué bueno *great, terrific*
queda: se queda *s/he stays*
quedaba *s/he stayed*
quedarme: voy a quedarme
todo el verano *I am going to*
stay all summer
quedarte: vas a quedarte *you*
are going to stay
quedo: me quedo *I stay*
queremos *we want*
querer *to want*
quería *s/he wanted*
querían *they wanted*
queso *cheese*
quiere *s/he wants*
quieren *they want, you (plural)*
want
quieres *you want*

quiero *I want*

R
rápidamente *rapidly, quickly*
rápido *fast, quick, rapid*
rara/raro *rare, unusual, strange*
rato *while*
  un rato *a little bit of time*
razón *reason*
  tiene razón *s/he is right*
realmente *really*
recibe *s/he receives*
recibido: había recibido
  s/he had received
recibió *s/he received*
recibir *to receive*
reconstruir *to rebuild*
recordar *to remember*
recuerdas *you remember*
refrescos *soft drinks*
refrigerador *refrigerator*
regalaron *they gave a gift*
regalo *gift*
regresar *to return*
regresaría *s/he would return*
regrese: tal vez regrese *maybe*
  he'll return
regreso *I return*
reía: se reía *s/he laughed, was*
  laughing
relajado *relaxed*
religiosas/religiosos *religious*
reloj *clock, watch*
repite *s/he repeats*
repitió *s/he repeated*
requiere *it requires*
respeto *respect (noun)*

responde *s/he responds*
respondió *s/he responded*
restaurante(s) *restaurant(s)*
resto: del resto *of the rest*
restos *remains*
rica(s)/rico(s) *rich, wealthy*
ridículo *ridiculous*
ríe: se ríe (de) *laughs (at)*
rio: se rio *s/he laughed*
río *river*
rojo/roja *red*
Roma *Rome*
ropa *clothes*
rosada *pink*

S
sábado *Saturday*
sabe *s/he knows*
  sabe a fresa *it tastes like*
  strawberry
sabemos *we know*
saben *they know, you (plural)*
  know
saber *to know*
sabes *you know*
sabía *s/he knew*
sabor *taste, flavor*
  tiene sabor a *it tastes like*
sabrosa/sabroso *tasty,*
  delicious
saca *s/he takes out*
sacaba *s/he took out*
sacó *s/he took out*
sacrificio *sacrifice*
sale (de) *s/he leaves, goes out,*
  comes out
salen *they leave, they go out*

salieron *they left, went out*
salió *s/he left, went out*
salir *to leave, to go out*
salvadoreña/salvadoreño(s)
 Salvadoran
santo patrón *patron saint*
sarcásticamente *sarcastically*
se *himself/herself/itself/*
 themselves; each other
 se abrazan *they hug each other*
 se aceptan *are accepted*
 se da cuenta *s/he realizes*
 se desmaya *s/he faints*
 se duerme *s/he falls asleep*
 se hablan *they talk to each*
 other
 se lava las manos *s/he washes*
 his hands
 se parece a *s/he/it looks like*
 se puede *one can / is able to*
 se ríe (de) *s/he laughs (at)*
 se va a *s/he is leaving for, is*
 going to, goes to
 se ve bonita *she looks pretty*
 se ve un edificio *a building is*
 seen/visible
sé *I know*
secundaria: escuela
 secundaria *high school*
seguía *s/he continued*
segundos *seconds*
seguro *sure*
seis *six*
semana(s) *week(s)*
señal *signal, sign*
señor *gentleman, Mr., husband*
señora *wife, lady, Mrs.*

señores *Mr. and Mrs.*
sentada *seated*
sentaron: se sentaron *they sat*
 down
sentía: se sentía *s/he felt*
sentimos: nos sentimos bien
 we felt well
sentó: se sentó *s/he sat down*
separada *separated*
ser *to be*
será *it will be*
sería *s/he/it would be*
seria *serious*
servían *they served*
si *if*
sí *yes*
sido *been*
 había sido *it had been*
 habían sido *they had been*
siempre *always*
sienta: se sienta *s/he sits down*
sientan: se sientan *they sit*
 down
siente: se siente *s/he feels*
siento: me siento *I feel*
 me siento bien con *I feel*
 good about
 lo siento *I am sorry*
siete *seven*
sigo *I continue, I keep*
sigue *s/he continues, keeps*
siguen *they continue, keep*
siguiendo *following*
siguiente *following, next*
 al día siguiente *the next day*
 a la mañana siguiente *the*
 next morning

siguieron trabajando *they kept working*

siguió hablando *s/he kept talking*

sillas *chairs*

simpática/simpático(s) *nice*

simples *simple*

sin *without*

sino *but*

sintió: se sintió *s/he felt*

siquiera: ni siquiera *not even*

sirven *they serve*

situación *situation*

situada *situated, located*

sobre *about*

sofá *sofa, couch*

sola *alone*

solamente *only*

solo *only*

solos *alone*

somos *we are*

son *they are*

  son las nueve *it's 9 o'clock*

sonríe *s/he smiles*

sonriendo *smiling*

sonrió *s/he smiled*

sorprendida/soprendido *surprised*

soy *I am*

Sr. (señor) *Mr.*

Sra. (señora) *Mrs.*

su *his, her, their*

suave *soft*

sube: se sube (a) *s/he gets in/ on/into*

suben : se suben (a) *they get in/on/into*

subieron: se subieron (a) *they got in/on/into*

subió: se subió (a) *s/he got in/ on/into*

sucia(s)/sucio(s) *dirty*

Sudamérica *South America*

suerte *luck*

  tenemos suerte *we're lucky*

suficiente *enough*

  No hay suficiente gente que pueda ayudar *there aren't enough people that can help*

sufren *they suffer*

sufrimos *we suffer*

superbuena/o *super good*

supercontenta *super happy*

sur *south*

sus *his, her, your, their*

T

tal vez *perhaps*

tamales *tamales*

tamaño *size*

también *also*

tan *so, as*

  tan buena como *as good as*

tanto *so much*

tarde(s) *late, afternoon*

tareas *homework assignments*

te *yourself, (to) you, for you*

  ¿cómo te fue? *how did it go (for you)?*

  no te preocupes *don't worry (command)*

  te gustan *you like them (they are pleasing to you)*

te ves muy bien *you look really good*
techo(s) *roof(s)*
tele *TV*
teléfono *telephone*
televisor *television set*
temblar *to shake*
temprano *early*
tendría *s/he would have*
tenemos *we have*
tener *to have, having*
  tener que *to have to*
tenerlo *to have it*
tenerte *to have you*
tengas: cuando tengas *when you have (in the future)*
tengo *I have*
  tengo que *I have to*
tenía *s/he had; I had*
teníamos *we had*
tenían *they had*
tenido *had*
  has tenido *you have had*
tenis *tennis*
terminado: había terminado *it had finished*
terminar *to finish*
terminó *s/he / it finished, ended*
terremoto(s) *earthquake(s)*
terrible *terrible*
ti *you*
tiempo *time*
tiene *s/he has*
  tiene que *s/he has to*
  tiene sabor a *it tastes like*
tienen *they have*
tienes *you have*

tienes que *you have to*
tipo *type, kind*
tira *s/he throws*
toca a la puerta *s/he knocks on the door*
tocan a la puerta *they knock on the door*
tocaron a la puerta *they knocked on the door*
tocó a la puerta *s/he knocked on the door*
toda(s) *all*
  de todas maneras *anyway*
todavía *still*
todo *all, everything*
  todo lo que *everything that*
  comprar de todo *to buy all kinds of things*
todos *all, everybody*
  de todos modos *anyway*
toma *s/he takes*
  toma… desayuno *s/he eats/ has… breakfast*
tomaba *s/he took*
tomar *to drink*
  tomar… desayuno *to eat/ have … breakfast*
tomó *s/he took*
tontas/tonto *foolish, silly, stupid*
tortilla(s) *tortilla(s)*
tostado: pan tostado *toast*
totalmente *totally, completely*
trabaja *s/he works*
trabajaba *s/he worked*
trabajaban *they worked*
trabajado *worked*

había trabajado *s/he had worked*
  ha trabajado *s/he has worked*
trabajan *they work*
trabajando *working*
trabajar *to work*
trabajaste *you worked*
trabajo *job, work*
transportaban *they transported*
transportan *they transport*
trata de *s/he tries to*
trató de *s/he tried to*
trece *thirteen*
tres *three*
triste *sad*
  qué triste *how sad*
tristeza *sadness*
tu *your*
tú *you*
turísticos *tourist (adj.)*
tus *your*
tuvieron *you (plural) had*
tuvimos *we had*
tuvo *s/he had*

U

Uds. (ustedes) *you (plural)*
última/último *last*
un, una *a, an, one*
unas *some*
única/único *only*
  el único *the only one*
  lo único *the only thing*
únicos: los únicos civilizados *the only civilized ones*
unida(s) *united, close*
unidos *united*

Estados Unidos *United States*
universidad *university*
uno *one*
unos *some*
usábamos *we used, used to use*
usan *you (plural) use*
usar *to use*

V

va *s/he goes*
  va a *s/he is going to*
  se va *s/he leaves*
  se va a *s/he is leaving for*
vale *it is worth*
vamos *we are going, let's go*
  vamos a *we are going to*
van *they go*
  van a *they are going to*
vas *you go*
  vas a *you are going to*
vaso *glass*
ve *s/he sees*
  se ve bonita *she looks pretty*
  se ve un edificio *a building is seen/visible*
veces *times*
  a veces *sometimes, at times*
vecinos *neighbors*
vegetación *vegetation*
veía *s/he saw*
  se veía *s/he looked, appeared*
  se veía un edificio *a building was seen/visible*
veinticinco *twenty-five*
vemos *we see*
ven *they see; come (command)*

vendedoras, vendedores
  sellers
venden *they sell*
vender *to sell*
vendían *they sold, were selling*
vendiendo *selling*
venir *to come*
veo *I see*
ver *to see*
verano *summer*
veras: de veras *really*
verdad *truth*
  es verdad *it is true*
verdaderamente *really*
verde *green*
vergüenza: tiene vergüenza *is
  embarrassed*
verla *to see her*
verlo *to see it*
verlos *to see them*
verte *to see you*
ves: te ves *you look, appear*
  te ves muy bien *you look
  really good*
  te ves maravilloso *you look
  marvelous*
vete *go away (command)*
vez *time*
  tal vez *perhaps, maybe*
  en vez de *instead of*
  otra vez *again*
vi *I saw*
viajar *to travel*
viaje *trip (noun)*
  de viaje *on a trip*
vida *life*
  con vida *alive*

vidas *lives (noun)*
videojuego(s) *videogame(s)*
vieja(s)/viejo(s) *old*
vienes *you come*
vieron *they saw*
vio *s/he saw*
visitado: había visitado
  s/he had visited
visitar *to visit*
visitó *s/he visited*
visto: ha visto *s/he has seen*
vive *s/he lives*
viven *they live*
vivía *s/he lived*
vivían *they lived*
vivimos *we live*
vivir *to live*
vivos *alive*
volver *to return, to come/go
  back*
volvieron *they returned*
volvió *s/he returned*
voy *I go*
  voy a *I am going to*
voz *voice*
vuelta: se da la vuelta *s/he
  turns around*
vuelto: se había vuelto *s/he
  had returned*
vuelve *s/he returns; go/come
  back! (command)*
vuelven *they return, they go
  back, they come back*
vuelves *you return, you go
  back, you come back*
vuelvo *I'll come back, I'll
  return*

Y

ya *already, now*
   ya que *because, since*
yo *I*

Z

zapatos *shoes*

Índice

CAPÍTULO UNO
La vida de Ben

Ben Sullivan era un chico que pensaba que tenía una vida casi perfecta. Tenía 17 años y vivía en una casa grande en San José, California. Tenía ropa nueva y bonita. Tenía una casa con piscina y muchos cuartos. Era muy guapo con una novia muy bonita. Jugaba al baloncesto en el equipo de su escuela. Su novia se llamaba Mindy. Ella era muy popular en la escuela. Los dos eran estudiantes buenos. No eran estudiantes perfectos pero eran muy buenos.

Había solamente una cosa que Ben quería pero no la tenía. No tenía su propio auto. Era terrible para él. Cuando iba a alguna parte, tenía que ir en el carro de sus padres o ir en el auto de sus amigos. A veces iba a pie a la escuela porque no tenía carro. Y su escuela estaba a un poco más de una milla de su casa.

Lo único que quería era un auto. Tenía que tener su propio auto. No quería manejar el carro de su madre. Era ridículo. Tenía mucha vergüenza porque el carro de su madre era muy grande. Era un carro familiar. No era el carro de un joven. Era una miniván y a Ben no le gustaba. Quería tener un carro deportivo.

Ben creía que un carro sería el regalo perfecto por su cumpleaños. Todos sus amigos tenían su propio carro así que Ben pensaba que él necesitaba su propio carro también. Su amigo Steve tenía un Ford Mustang. Alex tenía un Toyota Camry. Y John tenía mucha suerte. Tenía un BMW.

Todos los estudiantes populares de la escuela tenían autos. Ben asistía a una escuela particular. En esta escuela los estudiantes que no eran muy populares manejaban el carro de la familia. Había algunos que ni siquiera tenían un auto. Iban a la escuela en bicicleta. Ben creía que no era normal ya que no tenía su propio carro como los otros estudiantes populares. Para Ben, tener un carro era más que una necesidad. El momento de tenerlo era ahora.

CAPÍTULO DOS
Una celebración de cumpleaños

Hoy era el cumpleaños de Ben. Sabía lo que quería por su cumpleaños. Quería un auto. Quería tener su propio auto. Iba a salir esta noche con sus padres a un restaurante elegante para comer. No quería ir con ellos pero pensaba que sus padres le iban a dar algo por su cumpleaños. Creía que le iban a dar la llave de un auto nuevo.

¿Qué tipo de carro será? Podía ser un carro deportivo. Un carro azul con mucha potencia. Podía ser un Jeep para poder manejar en las montañas. Podía ser un Volkswagen pequeño para poder ir a la playa.

A Ben no le importaba mucho la marca del carro. Solo quería un carro. Un carro bueno. Un carro nuevo. No le importaba el color. Lo único que no quería era una miniván o un carro familiar. Quería un carro como los otros carros de los estudiantes de su escuela.

—Beeeeeen, ¿estás listo para ir a comer? —le gritó su madre.

La madre estaba en la oficina. Estaba trabajando en la computadora de la familia. Su trabajo era vender casas. Era una de las mejores vendedoras en San José.

—Sí, mamá, estoy listo —le dijo Ben a su madre.

Ben estaba escribiendo un mensaje en Twitter a una amiga.

—Acaba de llegar tu padre así que vamos a salir en unos minutos —respondió la madre de Ben—. Vamos a tu restaurante favorito. Vamos a Steak Palace.

Ben estaba contento porque iban a ir a un restaurante súper bueno. Le gustaba comer carne con papas. También servían helado y pasteles para el postre. Le gustaba muchísimo. La familia de Ben comía en restaurantes mucho porque no tenía hermanos ni hermanas. También porque los dos padres trabajaban y no tenían tiempo para preparar comida después de trabajar todo el día.

La familia estaba en su lugar favorito del restaurante. Siempre les daban la misma mesa buena. Podían hablar sin escuchar las conversaciones de otros clientes. Ben pensó: "Voy a tener un auto y voy a venir a este restaurante. Voy a venir en mi carro nuevo. Me gusta este restaurante." Pero primero tenía que comer.

—Ben, estamos muy orgullosos de ti —le dijo su madre—. Ya tienes 17 años. Es increíble. El tiempo pasa tan rápido.

Ben creía que su madre decía cosas tontas a veces. No sabía por qué. Solo sabía que decía cosas tontas a veces.

—Sí, hijo. Estamos muy orgullosos de ti —le repitió

4

su padre en una voz muy seria.

Ben miró a sus padres. Estaba nervioso. ¿Qué tipo de carro era? No podía esperar más.

—Ben, te tenemos un regalo muy especial este año —le dijo la madre.

—Sí. Es un regalo muy especial —le dijo su papá—. Es un regalo que va a cambiar tu vida. Es un regalo increíble.

Ben pensó: "Sí, un carro cambiará mi vida. Voy a ser más popular y tener más amigos a causa de mi carro nuevo. Un carro va a cambiar mi vida muchísimo."

—¡Qué bueno! —les dijo Ben—. Me gusta. No puedo esperar más.

El Sr. Sullivan sacó algo de su camisa.

—Bueno, ya no tienes que esperar más. Feliz cumpleaños hijito —le dijo el Sr. Sullivan.

Su padre le dio algo. Ben estaba seguro que era una llave de un carro. Estaba muy nervioso. Era un paquete bonito. Ben abrió el regalo. Sacó un papel de su regalo. ¿Sacó un papel?

Ben miró el papel. No era una llave sino que era un boleto de avión.

Ben miró a su mamá. Ella tenía una expresión de felicidad en la cara. Estaba súper contenta.

—Ben, mira. Es un boleto de avión. Míralo —le dijo su madre.

Ben estaba muy sorprendido. No quería ver el boleto. No había llaves. No había un auto nuevo. Iba a tener que ir a pie todavía. No quería tener un boleto de avión. Solo quería un auto.

Ben dejó de pensar en el carro. Un boleto de avión no era malo. Probablemente era un viaje a Europa o Hawai. Podría ser un crucero a una isla en el Caribe. Podría pasar tiempo en la playa y tomar Coca-Cola y mirar a las chicas. Eso no era malo. Realmente parecía interesante.

Al mirar su boleto lo vio. Era un viaje a…

—El Salvador, hijito —le dijo el Sr. Sullivan—. Vas de viaje a El Salvador.

El Salvador. ¿El Salvador? Ben no sabía exactamente dónde estaba El Salvador. Lo único que sabía era que no estaba en Europa. No era París, ni Roma, ni Londres. Probablemente no había playas bonitas con chicas. El Salvador era el último lugar en el mundo que Ben quería visitar.

—¿El Salvador? —les dijo Ben en una voz suave.

—Oh no, Ben. No pareces contento —le dijo la Sra. Sullivan—. No lo sabes todo. Hay más.

¿Todo? Tal vez le iban a dar un auto nuevo en El Salvador y podría volver a California en su auto.

—Ben —le dijo la señora—. Este año tu regalo es muy especial. Es mejor que un videojuego o una computadora o un carro nuevo.

—¿Qué? —preguntó Ben.

Ben estaba muy sorprendido. Ben pensaba que no había nada mejor que un carro nuevo.

—El regalo este año es una lección de vida —le dijo el padre.

—¿Una lección? —dijo Ben.

Ben se sintió un poco enfermo porque quería su propio auto.

—Sí, una lección de vida. Vas a El Salvador para ayudar a las personas pobres de allá. Vas a construir casas este verano —le dijo el Sr. Sullivan.

—¿Por qué voy a hacer eso? ¿No tienen casas ellos? —les preguntó Ben.

Ben trató de recordar exactamente dónde estaba El Salvador. Pensaba que estaba en Centroamérica o Sudamérica. No estaba seguro. Pero no era un lugar de diversión.

—Hace dos meses hubo un terremoto en El Salvador. ¿Recuerdas? Miles de personas en El Salvador perdieron sus casas. Es una situación horrible —le dijo el padre.

—Y tú vas a tener la oportunidad de ayudar a las personas sin techo. Vas a pasar el verano en El Salvador construyendo casas —le dijo la mamá—. ¿No es emocionante?

—Mamá. Papá. No quiero ir. No quiero ayudar. No quiero ir a un país en Centroamérica y trabajar. Quiero jugar al baloncesto durante el verano. Quiero pasar

tiempo con Mindy. No quiero ir a El Salvador.

—Ben. ¿Qué pasa? —le preguntó la señora.

—Mamá. Esto es tonto. No quiero hacerlo. Quiero jugar en la computadora durante el verano.

—Pero Ben, es tu regalo de cumpleaños —le dijo su padre.

—Quiero un auto por mi cumpleaños. Quiero un auto como los autos de mis amigos. Quiero ser normal como los otros en la escuela con autos nuevos —les dijo Ben.

—Sabemos que quieres un auto. Pero queremos darte algo mejor —le dijo la madre.

—Oh sí. Una lección de vida. ¡Qué bueno! —dijo Ben sarcásticamente.

—Realmente hay un carro en el plan. Es parte del regalo. Si vas a El Salvador y si pasas todo el verano allá, vas a tener un carro nuevo después del verano.

—¿De veras? —preguntó Ben.

—Sí, es cierto. Después del verano vas a tener un Ford Mustang o Toyota Prius. Pero solamente si pasas todo el verano allá. Las personas allá necesitan tu ayuda.

—Uds. solamente quieren estar solos este verano —les dijo Ben.

—No es eso. Vas a tener la experiencia de tu vida —le respondió el padre.

—Está bien. Voy a El Salvador. Después vuelvo y voy a tener mi propio carro. Está bien. Me gusta —les dijo

Ben.

Ben miró el boleto. No lo podía creer. Un viaje a El Salvador para trabajar no le parecía un regalo. No era un regalo sino más bien un castigo. No lo entendía. No necesitaba una lección de vida. Necesitaba un carro. No quería ayudar a otras personas. Ya tenía amigos. Podría ayudar a sus amigos. ¿Por qué tenía que ir a El Salvador? Era un buen chico. No tomaba drogas ni bebía alcohol. No fumaba. Pero no importaba. Iba a tener su carro al fin de verano.

—Feliz cumpleaños —le dijeron los dos.

—Vas a irte en dos semanas —le dijo el papá.

—Gracias —les dijo Ben—. Creo que voy a tener la experiencia de mi vida. Voy a casa para empacar.

CAPÍTULO TRES
Planes para el verano

—No lo puedo creer. ¿Por qué vas a El Salvador? ¿Por qué no les dices a tus padres que no quieres ir? —le dijo Mindy por teléfono.

—Porque quiero un auto —le dijo Ben—. Si me quedo en El Salvador todo el verano, me van a dar un auto. Necesito un carro. Voy a estar en mi último año de la escuela.

—Es cierto que necesitas un carro —le dijo Mindy.

Mindy ya tenía su propio auto. Era un Volkswagen amarillo. Sus padres se lo regalaron cuando cumplió 16 años.

—En tres meses no voy a tener que usar la miniván de mi madre —le dijo Ben—. Voy a tener mi propio auto. Tú puedes ir conmigo en mi propio auto.

—¡Qué bueno! —le dijo Mindy—. Porque prefiero estar contigo si tienes tu propio carro.

Ben estaba un poco preocupado por Mindy. Ben se iba a El Salvador y Mindy se quedaba aquí. Mindy era muy bonita y popular. Todos los chicos querían ser novios de ella.

—Mindy, solo tienes que esperar tres meses y estoy

aquí de nuevo. Y voy a tener mi propio auto. Todo va a mejorar —le dijo Ben a Mindy.

—Podemos hablar después de tu viaje a El Salvador. Voy a estar muy ocupada durante el verano —le dijo Mindy—. Voy de viaje a Europa. Voy a París por un mes. También voy con mi familia a la playa en el sur de California. El verano va a pasar rápidamente. También tengo que comprar muchas cosas durante el verano. Tengo que comprar ropa y zapatos. Ya tengo muchos zapatos pero quiero más porque es mi último año de secundaria. No puedo ir a mi último año sin tener zapatos nuevos.

Ben pensaba que Mindy era tan bonita. Siempre se veía tan bonita con ropa elegante y zapatos nuevos.

—Tú eres fenomenal Mindy —le dijo Ben.

—Gracias, Ben —le dijo Mindy—. No tienes que decirme que soy fenomenal. Ya lo sé.

CAPÍTULO CUATRO
Información sobre El Salvador

Ben iba a ir a El Salvador y necesitaba saber más sobre el país. Fue al lugar más lógico para tener más información. Fue a su computadora. Entró a Google.

A Ben no le parecía muy interesante El Salvador. Él solo iba a ir porque quería un carro. El Salvador era un país pequeño. Era del mismo tamaño que Massachusetts pero no tenía muchos lugares turísticos. Por ejemplo, la ciudad más grande del país era San Salvador. San Salvador también era la capital pero no tenía Disneylandia. Ben pensó: "¿Qué puedo hacer allí? Llueve mucho durante el verano."

Ben leyó mucho sobre El Salvador. Parecía que era un país bonito con montañas bonitas y playas preciosas. No le importaba mucho a Ben. A Ben le importaba Mindy. A la mamá de Ben le importaban las montañas bonitas. A su papá le importaban las playas bonitas. A Ben le importaba Mindy. También le importaban la tele, los videojuegos y su computadora.

Una cosa era cierta. La gente de El Salvador necesitaba la ayuda de Ben. Mucha ayuda. Hacía unos meses dos terremotos grandes y fuertes habían causado

bastante destrucción en El Salvador. Muchas personas habían muerto. En un pueblo se habían caído todas las casas. Las casas se habían caído porque estaban construidas de adobe. En otros pueblos se había caído la mayoría de las casas. Era muy cierto que la gente de El Salvador necesitaba ayuda. Ellos necesitaban la ayuda de muchas personas.

Aunque la gente necesitaba ayuda, Ben todavía no quería ir. No tenía ganas de ir a El Salvador. Quería pasar el verano en su casa con sus amigos. Quería jugar al golf y al tenis. Quería nadar y divertirse. Ben solo iba porque quería tener su propio carro. Era un sacrificio pero Ben iba a ir. Si no fuera, tendría que manejar la miniván de su madre otro año más. Y Ben no quería hacer eso.

CAPÍTULO CINCO
Un viaje nuevo

Dos semanas más tarde, Ben se subió a un avión y se fue a El Salvador. Su avión aterrizó en el aeropuerto de San Salvador. Ben se sentía bien. Cuando Ben salió del avión había un hombre que se le acercó. El hombre tenía ojos castaños y pelo negro.

—Hola —le dijo el hombre a Ben—. Tú eres Ben Sullivan, ¿no?

—Sí. Es cierto. Soy Ben —le respondió Ben.

—Bienvenido a nuestro hermoso país —le dijo el hombre—. Soy Juan Salinas de Casas para El Salvador. Es una agencia que construye casas para los salvadoreños. Estamos muy contentos de tenerte aquí. Hay mucho trabajo que hacer aquí en este país.

Ben estaba cansado por el viaje. Estaba cansado porque había ido a muchas fiestas en California antes del viaje. Había comido mucha comida. Había bebido muchos refrescos y había escuchado música.

—Vas a quedarte con la familia Zamora aquí en El Salvador —le dijo el Sr. Salinas.

Ben trató de entender las palabras del Sr. Salinas. El señor hablaba rápido y era difícil entenderlo todo. Ben había estudiado español por cinco años en la escuela pero

sus profesores habían hablado más despacio que el Sr. Salinas.

—La familia Zamora es una familia muy buena y unida. Viven no muy lejos de San Vicente —le dijo el Sr. Salinas.

—¿San Vicente? —le preguntó Ben—. ¿Dónde está San Vicente?

—Está a dos horas de San Salvador —le dijo el Sr. Salinas—. El terremoto destruyó mucho de San Vicente.

—¿Qué quieres decir? —le preguntó Ben.

—El terremoto destruyó muchas casas —le dijo el Sr. Salinas.

El señor parecía triste cuando hablaba.

—Destruyó muchas casas y edificios. Destruyó casas e iglesias. Destruyó pueblos enteros. Muchas personas murieron. Es tan triste.

El señor Salinas hizo la señal de la cruz cuando hablaba de las personas muertas.

—Miles de personas perdieron sus casas. Muchas necesitaron atención médica. Todo fue terrible —le explicó el Sr. Salinas.

—Parece horrible —le dijo Ben.

—Vamos a necesitar muchos años para reconstruir las casas destruidas. No hay suficiente gente que pueda ayudar en la construcción. La gente vive en carpas.* Están haciendo camping día y noche. Por eso estamos muy contentos de tener jóvenes aquí que nos van a ayudar

*carpas *tents*

17

—le dijo el señor Salinas.

Ben no se sentía como el señor. Ben no quería estar en El Salvador. Estaba cansado. Tenía hambre. Tenía calor. Estaba muy lejos de California. Quería ir a su casa y jugar juegos en su computadora. Quería dormir.

El señor Salinas le dijo:

—Bueno, ahora vamos a otra ciudad que se llama San Vicente. Allá otro hombre llamado Sr. Melara nos espera. Él te va a llevar a la casa de tu nueva familia.

—Ok, vamos —respondió Ben.

El señor Salinas y Ben levantaron las maletas y salieron del aeropuerto. El señor comenzó a caminar. Ben creía que iban a un auto. Pero no. El Señor Salinas caminó hacia el autobús y se subió con la maleta de Ben. Ben se subió también. Era un bus viejo como los buses amarillos en California que transportaban niños a la escuela.

El autobús era muy viejo. Estaba pintado de muchos colores diferentes: rojo, verde y azul. El autobús parecía extraño. Ben realmente no sabía si iban a llegar a San Vicente. El autobús parecía muy viejo. No quería ir en el autobús pero no había otra opción. No podía ir a pie.

El autobús tenía muchas personas. Un joven aceptaba el dinero para pagar el viaje a San Vicente. Había una mujer que estaba vendiendo fruta. Ella miró a Ben y le preguntó:

—¿Eres americano?

—Sí, soy americano —le dijo Ben.

—Tienes el pelo bonito —le dijo la señora—. Me gusta tu pelo bonito. Y tus ojos azules. Tienes ojos bonitos.

La mujer era simpática pero un poco rara. Tenía una falda roja con una blusa morada. Parecía vieja y cansada.

—Gracias —le dijo Ben a la mujer.

—¿Banana? —la mujer le preguntó—. Muy barata.

Las bananas parecían muy buenas. Ben verdaderamente tenía hambre.

—Sí —contestó Ben—. ¿Cuánto es?

—Veinticinco centavos —le respondió la mujer.

—¿Veinticinco centavos de los Estados Unidos? —le preguntó Ben.

—Sí.

Ben le dio una moneda de veinticinco centavos y recibió las bananas pero estaba confundido. Pensó: "¿Usan dinero de los Estados Unidos en El Salvador?" Él le dijo a la señora:

—No comprendo. ¿Por qué usan dinero de los Estados Unidos? ¿No usan otro dinero?

—Adoptamos el dinero de los Estados Unidos como el dinero oficial en 2001 —le explicó la señora—. Antes usábamos colones pero ahora se aceptan dólares. Somos un país dolarizado ahora.

Mientras Ben comía una banana, siguió hablando con la señora. Él pensaba que era muy raro estar tan lejos de California donde todo era diferente y se podía comprar bananas en la calle con una moneda de los Estados

Unidos. La mujer le dijo a Ben que se podía pagar con dólares en El Salvador y Panamá pero no se podía hacer esto en los otros países centroamericanos. En los otros países centroamericanos se tenía que pagar con moneda nacional.

Ben comió otra banana. Tenía un sabor bueno pero no era como la comida de California. El autobús pasó un McDonalds y ahora Ben tenía más ganas de comer comida americana. Sabía que había McDonalds y Pizza Hut en San Salvador pero no los había en San Vicente.

Ben se sintió triste ya que estaba en un país donde todo le parecía diferente. Extrañaba su casa, a su familia y todo de California. Extrañaba su computadora. Extrañaba su piscina. Extrañaba a sus amigos. Extrañaba a Mindy. Incluso extrañaba la escuela.

El autobús salió de la capital San Salvador y estaba en el campo fuera de la ciudad.

—Todo esto es fascinante —le dijo el Sr. Salinas—. Me encanta estar aquí en El Salvador.

Ben pensó: "¿Le encanta? ¿Cómo es que le encanta? No me gusta nada de aquí. No hay nada aquí que me encante." Ben tenía ganas de gritar pero en vez de gritar le dijo al señor Salinas:

—Sí, es emocionante estar aquí.

El Señor Salinas sonrió y le dijo a Ben:

—El Salvador no es los Estados Unidos. Pero no te preocupes. Es un país maravilloso.

Ben no dijo nada. Pensó que el señor Salinas se había vuelto un poco loco.

Durante el viaje a San Vicente, Ben observó mucho. Vio que las carreteras de El Salvador eran muy buenas. En El Salvador había muchas autopistas o carreteras con espacio para cuatro carros.

Ben vio que había muchas personas vendiendo cosas diferentes. Vendían comida, fruta, ropa, discos compactos y otras cosas.

Se notó que hacía calor en El Salvador. La ciudad de San Salvador estaba situada cerca de la costa. Si uno estaba en las montañas no hacía mucho calor pero cerca de la costa hacía calor durante todo el año.

Durante el viaje en bus Ben vio mucha vegetación. Todo parecía verde. Había muchas plantas de café y bananas. Estaba sorprendido de ver una planta de bananas. No sabía si era un árbol o solamente una planta. Ben notó que las bananas iban hacia arriba cuando estaban formándose en la planta. La planta producía una flor muy bonita de color morado.

El viaje le parecía interesante pero todavía prefería el país de McDonalds y Pizza Hut aunque había McDonalds y Pizza Hut en El Salvador.

CAPÍTULO SEIS
La cabra mala

El viaje a San Vicente duró casi dos horas. Ben estaba muy contento de estar en San Vicente porque ya no tenía que viajar más. En el centro de la ciudad había mucha gente. Había muchas evidencias de la destrucción del terremoto. Enfrente de la plaza estaban los restos de la catedral. Estaba prácticamente destruida. Ahora estaban construyéndola de nuevo. Había un reloj grande. La hora en el reloj era 8:16. El reloj ya no funcionaba. Era la hora exacta en que el terremoto había comenzado. En el otro lado de la plaza se veía un edificio grande y blanco. Parecía que antes había sido un edificio del gobierno pero ahora era un edificio que nadie podía usar. Daba la impresión de que el edificio se podría caer. No se le permitía entrar a nadie. Una pared estaba separada totalmente del resto del edificio.

Mientras Ben observaba todo, vio una cabra al otro lado del edificio. A Ben le gustaban las cabras. Pensaba que eran interesantes. Su amigo en California tenía una cabra muy buena. Ben caminó hacia la cabra. Cuando estaba cerca de ella, Ben miró bien a la cabra. La cabra miró a Ben. La cabra tenía una cara mala, muy mala. A

23

Ben le parecía que no era una cabra tan buena como la de su amigo en California.

Ben comenzó a caminar en otra dirección, pero la cabra lo seguía. La cabra caminó hacia Ben. Ben la vio y comenzó a caminar más rápido. No le gustó que una cabra mala lo estuviera siguiendo. Ben decidió correr. Cuando la cabra lo vio corriendo, también decidió correr. La cabra corrió hacia Ben. Ben corrió rápido pero la cabra corrió más rápido. En poco tiempo, la cabra estaba muy cerca de Ben. La cabra le pegó a Ben. Ben gritó. Le pegó otra vez. Ben gritó aún más fuerte. No sabía qué hacer.

El señor Salinas escuchó a Ben gritar y fue hacia él. Miró a la cabra y le gritó:

—¡Vete de aquí! Tú eres una cabra muy mala.

El señor Salinas asustó a la cabra y la cabra se fue. Le dijo a Ben:

—Lo siento Ben. ¿Estás bien? Esa cabra siempre anda molestando a la gente. Es una cabra muy mala.

Ben le dijo:

—Sí, ahora lo sé. Gracias por ayudarme.

Después de ese incidente, otro hombre se acercó a Ben y al señor Salinas.

—Buenas tardes —les dijo.

El Sr. Salinas conocía al hombre.

Le dijo a Ben:

—Ben, te presento al Sr. Melara. Él es el director

local del programa. Él te va a llevar a tu nueva familia.

—Mucho gusto —dijo el Sr. Melara a Ben—. Estoy aquí para ayudarte con cualquier necesidad en El Salvador.

—Gracias —le respondió Ben.

—Te voy a llevar para conocer a tu nueva familia —le dijo el Señor Melara—. Ellos son muy simpáticos. Estoy seguro que lo vas a pasar muy bien con ellos.

—Ok, vamos —dijo Ben.

Los dos le dijeron «adiós» al señor Salinas y se subieron al pickup del Sr. Melara y fueron a la casa de la nueva familia.

CAPÍTULO SIETE
La familia nueva

El Sr. Melara y Ben llegaron a la casa de la nueva familia. Caminaron hacia la casa y tocaron a la puerta. La familia abrió la puerta y un hombre y una mujer le dijeron a Ben:

—Hola.

—Ben, estos son los señores Zamora —le dijo el señor Melara.

—Es un placer —les dijo Ben.

—Vas a vivir en nuestra casa. Estamos muy contentos por eso —le dijo la Sra. Zamora—. Eres muy bienvenido a nuestra casa.

—Tenemos mucho que hacer mañana —le dijo el señor Zamora—. ¿Estás listo para trabajar?

Ben pensó: "Oh no, no quiero trabajar", pero no dijo lo que realmente estaba pensando. Le dijo:

—Sí señor, estoy listo. Quiero ayudar.

Se despidieron del Sr. Melara y la familia y Ben entraron a la casa.

—¿Tienes hambre? —le preguntó la señora Zamora.

—Sí, tengo hambre. Tengo mucha hambre —le respondió Ben.

—Vamos a comer en una pupusería —le dijo la señora a Ben—. ¿Te gustan las pupusas?

Ben no sabía lo que era una pupusa pero pensó que iba a querer comerla. Le gustaba la comida mexicana. Le encantaba comer en Taco Bell.

La señora Zamora tomó la maleta de Ben y la puso en otra parte de la casa. Salieron de la casa y caminaron un rato. Al poco rato llegaron a un restaurante. Era una pupusería. Entraron. En unos minutos el hombre del restaurante le dio a Ben una pupusa. Era una tortilla gorda. Era muy gorda y gruesa. Ben no tenía ni idea de lo que era. Pensó que era comida salvadoreña.

—Cómela. Es buena. Tiene frijoles y queso —le dijo la señora.

Ben comió porque tenía mucha hambre y no había otra comida. No sabía si le iba a gustar pero la comió. Ben sabía que no era comida de Taco Bell pero lo comió todo.

—¿Quieres un licuado? —le dijo la señora a Ben.

—Sí, cómo no —le respondió Ben.

El hombre en el restaurante le dio un vaso de leche a Ben. Ben probó la leche. Le gustó mucho. La leche era muy dulce y tenía sabor a fruta. Ben pensaba que sabía a fresa y le gustó mucho. También la leche era rosada así que Ben pensó que un licuado era una mezcla de leche con fruta y azúcar.

Después de comer, caminaron a casa. Ben estaba cansado por el viaje y quería dormir pero no era posible.

—Ahora vamos a un pueblo que se llama Santa Lucía. Está cerca. En Santa Lucía vamos a estar trabajando —dijo el señor Zamora.

Se subieron al pickup. Mientras iban hacia Santa Lucía, Ben observaba mucho. Todo era nuevo para él. Miró las casas y a la gente en la calle. Parecía que todos estaban vendiendo algo. Las casas eran pequeñas. Parecía que eran de adobe o cemento. Algunas tenían techos de metal. Ben se dio cuenta de que la gente de El Salvador necesitaba su ayuda. No quería estar en El Salvador pero podía ver que, aunque era una sola persona, él podía ayudar un poco. Sin embargo se sentía tan solo y triste a veces.

Mientras se acercaban a Santa Lucía, Ben lo observaba todo. Miró que había casas con daños causados por el terremoto. Ben vio otras casas con muchos daños. Vio casas sin techo. Parecía que algunas casas se iban a caer en cualquier instante.

Más tarde volvieron a casa. Después de ver todo el daño que había hecho el terremoto, Ben les preguntó a los Zamora:

—¿El terremoto también les afectó a Uds.?

—Sufrimos mucho a causa del terremoto. Casi todas las casas aquí cayeron durante el terremoto —le dijo el

señor Zamora.

—El día fue horrible. Yo estaba fuera de la casa con los animales. En un instante, todo comenzó a temblar. Parecía el fin del mundo. Vi caer las casas de mis amigos. Cuando el terremoto terminó, todos comenzamos a buscar a nuestros amigos y vecinos para ver si estaban vivos o no. Después de todo teníamos vida y a nuestras familias. Nos sentimos bien —le dijo la Sra. Zamora a Ben.

Ben entró a la casa pequeña y la miró. Estaba sorprendido porque pensó que era tan pequeña. En la casa no había casi nada. Había un refrigerador y una estufa. Había tres sillas pero no había sofá. Había un baño y dos dormitorios. No era como la casa donde vivía su familia en California.

Ben entró al dormitorio y no lo podía creer. Había una cama y una mesita. No había computadora ni televisor. No había videojuegos. Ben pensó: "¡Esta experiencia es muy diferente!"

—Tuvimos mucha suerte porque nuestra casa no se cayó —le dijo la señora—. La mayoría de las casas de este pueblo se cayeron durante el terremoto.

—Es cierto que tuvieron mucha suerte —le dijo Ben.

Pero Ben no creía lo que decía. Pensó que tenían una vida terrible. Él prefería su vida en California.

Había otro cuarto. La puerta de ese cuarto estaba

cerrada.

—Anabel —le dijo la señora—. Ven a conocer a Ben.

La puerta se abrió y salió una chica. Ben no lo podía creer. Se puso nervioso porque pensó que la chica era hermosa. Ella era más hermosa que Mindy. Era la chica más hermosa que había visto en toda su vida.

—Anabel es nuestra hija —le dijo el señor.

—Mucho gusto —le dijo Ben.

Anabel se rio y dijo:

—Otro chico americano aquí. ¿Vienes a ayudar con las casas?

—Sí —le dijo Ben.

Anabel tenía el pelo largo y bonito. Tenía ojos grandes y castaños. Parecía una modelo. Era tan bonita. Se reía mucho.

—Bienvenido a nuestro pueblo —le dijo Anabel—. Estamos contentos de tener otro americano aquí.

Después salió una niña de ocho años. Se parecía a Anabel pero era más joven.

—Hola —le dijo la niña—. Soy Rosa. Tengo ocho años. Bienvenido a nuestra casa.

—Es mi hermanita —le dijo Anabel a Ben—. ¿Tienes hermanos?

—No. Soy hijo único. No tengo hermanos ni hermanas.

—¡Qué triste! —le dijo Anabel.

—Tenemos un hermano pero no vive con nosotros. Va a la universidad. Vive en San Salvador. Tú vas a dormir en su dormitorio —le dijo Rosa.

—Qué bueno. Me gusta —dijo Ben.

—Es muy tarde —les dijo la señora Zamora—. Tenemos mucho que hacer mañana. Es hora de dormir.

No era tan tarde. Generalmente Ben no se acostaba hasta la medianoche pero hoy era una excepción. Esta noche no iba a ver la tele. No iba a jugar videojuegos. Esta noche no. Estaba muy cansado. Todos se fueron a acostar y él también se fue a acostar. Entró al dormitorio. La cama no era muy cómoda. Ben quería estar en California. Quería hablar con sus padres y con Mindy. Pero esa noche no podía. Se acostó en la cama incómoda y en unos segundos estaba durmiendo.

CAPÍTULO OCHO
Vidas diferentes

La próxima mañana llegó rápido. Ben no lo podía creer cuando la Sra. Zamora tocó a la puerta. Ben se despertó.

—A comer —le dijo la señora Zamora a Ben.

Ben se levantó y salió de la cama. Tenía hambre. Siempre tenía hambre. Quería un desayuno grande. Pensó en un desayuno bueno. Huevos, jamón y pan tostado. Le encantaba comer un buen desayuno. Llegó a la mesa. La familia ya estaba sentada. Antes de comer, la familia no ofrecía una oración para bendecir la comida. Ben sabía que la mayoría de las personas en El Salvador eran religiosas así que estaba un poco sorprendido cuando no tenían una oración antes de comer.

Ben miró la comida en la mesa. No lo podía creer. Era arroz, frijoles y tortillas. No había huevos, ni jamón ni pan tostado.

—Hoy vamos a trabajar mucho. Vamos a empezar a construir una casa nueva. Vamos a trabajar en la casa nueva de la familia Guerra —le dijo el señor a Ben.

—La pobre familia no tiene madre. Se murió en el terremoto —le dijo la señora a Ben.

36

Todos en la familia comieron con mucho entusiasmo. Ben comió pero no le gustó. Más arroz. Más frijoles. Más tortillas. Después el Sr. Zamora dijo:

—Vamos a trabajar.

Se levantaron todos. Fueron al pickup. Se subieron. Rosa y Anabel fueron con el Sr. Zamora y Ben. Mientras iban hacia el lugar, hablaban. Anabel quería saber de la vida en los Estados Unidos.

Anabel le dijo que los había visitado una estudiante de los Estados Unidos el verano pasado. Se llamaba Stacy. Solo había estado con ellos dos semanas. No le había gustado la vida de El Salvador.

—Voy a quedarme todo el verano —les dijo Ben, pensando en el carro nuevo que iba a recibir después del verano.

Ben lo observaba todo. Había un río. Había gente en el río. Había personas que iban al río para buscar agua. Incluso había unas niñas muy pequeñas que ayudaban con el agua.

Anabel y el señor Zamora hablaban de la vida. Parecía que ellos conocían a todos. En unos minutos pararon. Estaban enfrente de una casa pequeña o parte de una casa. Parte de la casa no estaba. Otra parte de la casa estaba destruida.

—Esta es la casa —le dijo Anabel a Ben—. Vamos a comenzar el trabajo.

—Está bien —le dijo Ben.

Ben quería trabajar con las chicas. También quería conversar con las chicas durante todo el día. Quería saber acerca de sus vidas aquí en El Salvador. El día pasaría rápidamente si pudiera hablar con las chicas. Con Anabel y Rosa el tiempo pasaría súper rápido.

Mientras trabajaban, vieron una cabra en la calle. Ben no estaba nada contento porque había tenido problemas la última vez con una cabra. Era una cabra diferente a la de antes. La cabra tenía una cara buena así que ahora Ben no estaba preocupado. Le preguntó a Anabel:

—¿Conoces a esta cabra?

Le dijo:

—Sí, la conozco. Anda por acá a veces. Nunca molesta a nadie.

Ben estaba contento cuando oyó esto. Los dos caminaron cerca de la cabra pero no pasó nada. Ben pensó: "¡Qué bueno!" Después de un rato, la cabra vio a Ben y caminó hacia él. Ben no la vio porque estaba detrás de él. La cabra comenzó a caminar más y más rápido. Ben escuchó algo y se dio la vuelta. La cabra estaba enfrente de él. Tenía una cara mala, muy mala. Ben pensó: "Oh no, ¿otra vez?" Comenzó a correr. Anabel le dijo:

—Ben, no corras. Si corres, la cabra te va a pegar.

Ben no la escuchó y siguió corriendo. La cabra corrió más rápido que Ben. Ben la vio y estaba muy preocupado. La cabra estaba muy cerca y le pegó. Le pegó muy fuerte. Ben se cayó y gritó. Anabel gritó:

—¡Cabra! ¡Vete de aquí! ¡Tú eres muy mala!

Ben tenía un dolor fuerte en las pompis. No estaba nada contento y no quería ver más cabras.

CAPÍTULO NUEVE
Trabajo duro

La cabra se fue y todos siguieron trabajando. El trabajo era terrible porque era muy duro. Ben preparaba bloques de cemento todo el día. Tenía que hacer todo a mano. No tenían máquinas para hacer el trabajo menos duro. Ya sabía que nunca iba a trabajar con las manos. Iba a ir a la universidad. Iba a estudiar. Iba a ser profesor, médico o ingeniero. Iba a trabajar en cualquier profesión menos en la construcción. No quería construir nada. Al final del día, le dolía la espalda. Le dolía la cabeza. Le dolía todo. Las manos estaban muy sucias. La ropa estaba sucia. Todo estaba sucio y Ben tenía hambre. Para el almuerzo comió arroz con frijoles. Solo quería ir a la casa de los Zamora para comer una cena deliciosa.

La única cosa buena en la opinión de Ben era hablar con las chicas. Era muy interesante hablar con ellas y aprender de ellas. Quería saber lo que pensaban. El tiempo pasaba más rápido cuando Ben estaba con Anabel y Rosa.

Ben le dijo a Anabel:

—Una chica tan bonita como tú en California probablemente sería una animadora.

—¿Animadora? ¿Qué es una animadora? —le respondió.

—Muchas chicas bonitas en los Estados Unidos son animadoras. Una animadora tiene que ir a todos los partidos de fútbol. Cuando hay un touchdown, las animadoras gritan con mucho entusiasmo.

—¿Qué es un touchdown? —le preguntó Anabel a Ben.

—Aquí se juega el fútbol con los pies. Allá se juega fútbol más con las manos. Un chico tira la pelota a otra persona y corre. Si el chico corre mucho, marca un touchdown. Vale 6 puntos. Es muy diferente al fútbol de aquí —le explicó Ben.

—¿Y las escuelas tienen equipos de fútbol? —le preguntó Anabel.

—Sí. Una escuela secundaria es un high school. Un high school tiene equipo de fútbol. Compiten contra otros high schools. Es muy importante jugar bien a causa de la competitividad entre las escuelas —le dijo Ben.

—No quiero ser animadora —le dijo Anabel—. Quiero ser doctora.

—¿Una doctora? ¡Qué bueno! —le dijo Ben—. Imagino que sería muy difícil llegar a ser doctora.

—Sí, pero todo lo importante requiere mucho trabajo. Además, me gusta la escuela.

—¿Cómo es tu escuela?

—Está cerca de aquí —le respondió Anabel—. Donde vivimos hay una escuela primaria. No hay una escuela secundaria. Mi escuela es una escuela católica. Es una escuela muy difícil. Trabajo muchísimo en la escuela. Quiero tener éxito. Quiero ser doctora. ¿Y tú?

Ben pensó. No trabajaba mucho en la escuela. Tenía notas normales. No eran excepcionales. Sacaba muchas Bs y Cs. No le gustaba estudiar. No le gustaba la tarea. No quería decirle a Anabel toda la verdad.

—A veces trabajo duro —le dijo Ben—. Pero no mucho. No me gusta la escuela.

—Vamos a casa a comer —les gritó el Sr. Zamora.

—Por fin —dijo Ben—. Estoy tan cansado.

—¿Cansado? —le dijo Anabel—. ¿Por qué? Hoy es un día corto. Vamos a casa temprano.

—Bueno, no estoy súper cansado —le dijo Ben—. Estoy un poco cansado. Probablemente estoy cansado por el viaje.

Ben no estaba diciendo la verdad. Él no estaba un poco cansado. Estaba más cansado que nunca. En ese momento estaba más cansado que en toda su vida. No lo podía creer.

Anabel sabía que Ben estaba muy cansado y sonrió. Ella sabía que Ben no estaba acostumbrado a trabajar. A trabajar realmente.

Ben volvió a la casa de los Zamora para cenar. Se

sentó a la mesa. Comieron casamiento. Era una mezcla de frijoles, arroz y queso. Ben estaba muy contento porque estaba comiendo algo con queso. Comió y comió. La comida era buena esa noche. Era súper buena debido al día largo de trabajo.

CAPÍTULO DIEZ
Un problema entre amigos

El tiempo pasó y Ben se acostumbró a la vida en El Salvador. Pero para él la vida todavía era muy dura. Estaba sorprendido con las familias que veía. Por ejemplo, no había muchas familias con carros. La familia Zamora tenía agua corriente en la casa. Había muchas familias que no tenían eso.

Casi todos cultivaban algo. Cultivaban maíz y frijoles. Trabajaban duro. Y trabajaban más duro ahora a causa del terremoto. Todos tenían vidas duras pero parecían felices. Ben no comprendía cómo era posible eso. No sabía cómo podían estar tan contentos. Él veía que no tenían cosas materiales y sus casas eran pequeñas. Además tenían que trabajar mucho y el trabajo era duro. A Ben no le parecía una buena vida. No entendía por qué todos parecían contentos.

Un día Ben estaba hablando con Anabel. Le preguntó:

—¿Cómo pueden estar tan felices con lo poco que tienen?

Anabel miró a Ben y le dijo:

—Tú. Pobre gringo. El pobre americano. No

entiendes la vida de aquí.

—¿Yo? ¿No entiendo? —le preguntó Ben a ella—. ¿Por qué dices que no entiendo? Creo que tú no entiendes lo buena que puede ser la vida con todo lo que tenemos nosotros. Nosotros tenemos suerte porque lo tenemos todo.

Anabel se rio. Ahora Ben sabía que Anabel se reía de él.

—Tú crees que lo sabes todo, Ben Sullivan. Pero no es cierto. No lo sabes todo. Vienes aquí a El Salvador para trabajar con "los pobres salvadoreños". No necesitamos tu ayuda. Nosotros estamos perfectamente bien sin tu ayuda. ¿Por qué no vuelves a California? Vuelve a tus casas grandes y tus carros hermosos. Vuelve a tu país perfecto.

Ben estaba sorprendido. Ben había trabajado muchísimo con Anabel. Había trabajado mucho con ella ese verano. Habían hablado. Ben había pensado que eran amigos. Había pensado que Anabel podría ser su novia. Mindy no le había escrito ni una vez durante el verano.

Pero ahora Ben no sabía. Ben no entendía a Anabel. Parecía una chica de otro planeta. ¿Por qué estaba así? Ben no entendía a esta chica. No entendía a la chica, ni la cultura ni nada. No estaba seguro de nada. Lo único que Ben sabía era que Anabel no estaba contenta con su manera de pensar. Los dos eran de mundos tan

diferentes.

—Tal vez regreso a California —le dijo Ben a Anabel—. No entiendo la vida aquí. Todo es tan diferente. Voy a regresar a la civilización. Voy a regresar donde todo está civilizado.

Ahora Anabel estaba enojada. Gritó:

—¿Civilizado? ¿Qué estás diciendo? Crees que Uds. son los únicos civilizados del mundo. ¿Los gringos? Ben, no sabes mucho. Nosotros somos mucho más civilizados de lo que tú crees. Sabemos lo que es importante en la vida. No necesitamos todo lo que tú crees que es importante. No tenemos que vivir en una casa grande. Ben, somos ricos sin esas cosas. Pero tú nunca vas a comprender eso.

—Uds. no saben cómo es una vida con todo lo que tenemos. No saben lo buena que es la vida. Quiero volver a California donde tengo una vida buena. No me gusta nada de aquí —le gritó Ben.

—¡Vete! ¡Vete de aquí! —le gritó Anabel—. No te necesitamos. Podemos construir nuestras casas con nuestras propias manos. No necesitamos tus manos. No necesitamos gringos ricos aquí en El Salvador.

Ben se fue. Ben estaba cansado de todo. Estaba harto de todo. No más. No quería nada más de la vida de El Salvador. El experimento ya había terminado. Solo quería volver a California. Empezó a caminar. Caminó

por mucho tiempo mientras seguía pensando. Tal vez caminaría hasta California.

Ben fue al río. Se sentó. Se lavó las manos en el agua. No le gustaba nada de aquí. No le gustaba el trabajo. No le gustaba el calor. No le gustaba construir casas. No le gustaba hablar español. Y ahora no le gustaba Anabel.

Más tarde volvieron a casa. Ben y Anabel no se hablaban. Los dos estaban enojados. Ben estaba cansado y se acostó temprano. Tenía ganas de volver a su propio país.

CAPÍTULO ONCE
El día festivo

Era el 6 de agosto. Faltaba solamente una semana para terminar el verano. Hoy era un día festivo. Todos hablaban del día. Dijeron que era una celebración importante en El Salvador. Era un día en honor del santo patrón de El Salvador. Ben no tenía que trabajar. Nadie trabajaba durante un día festivo. Tal vez iba a estar solo durante todo el día. Tal vez podría olvidarse de todo. Podría olvidarse de la gente de El Salvador. Podría pensar y estar solo. Podría pensar en su familia en California y su casa.

Ben se despertó y se sentía mejor. Estaba muy relajado. Miró su reloj. Eran las nueve de la mañana. Era muy tarde. Ben había dormido mucho. Siempre se levantaba temprano para ir a trabajar pero hoy no tenía que trabajar.

Se levantó y fue al comedor. Todos en la familia ya estaban despiertos. Las chicas estaban en la cocina. Estaban preparando una comida grande. Estaban preparando frijoles y arroz. Pero hoy había algo nuevo. Había tamales. La cocina olía muy bien. El Sr. Zamora estaba fuera de la casa. Estaba dando de comer a los

pollos.

Ben miró a Anabel. No sabía qué decirle. No sabía si ella todavía estaba enojada. No quería pelear con ella. ¿Qué podría decirle después de todo lo que había pasado ayer?

—Hola. Parece que dormiste mucho —le dijo la Sra. Zamora.

—¡Qué bueno! —le dijo Rosa—. Hoy es un día muy divertido. Es El Salvador del Mundo.

—Sí. Es un día festivo muy importante aquí. Es en honor del santo patrón de El Salvador —le dijo la Sra. Zamora.

—¡Qué bueno! —respondió Ben.

Ben se sentó y empezó a comer arroz.

—¿Qué hacen durante la fiesta? —preguntó Ben.

—Hay una celebración. Un desfile. Comemos. Es un día fantástico —le dijo la Sra. Zamora.

—Comemos todo el día —le dijo Rosa—. Hasta la medianoche.

—Hay fuegos artificiales también —le dijo la señora.

—¡Qué bueno! Me encantan los fuegos artificiales. Nosotros tenemos fuegos artificiales cada 4 de julio, el día de nuestra independencia —les dijo Ben.

—A la medianoche hay muchos fuegos artificiales —le dijo Rosa.

El desfile comenzó por la tarde. Ben fue con

la familia. Mientras Ben caminaba con la familia, vio otra cabra. Era la misma cabra que Ben ya había conocido antes. La cabra fue hacia Ben. Ben estaba muy preocupado porque no quería más problemas con esta cabra mala. Ben pensaba que esta cabra era una cabra loca. Ben no tenía opciones para escapar. La cabra miró a Ben con ojos intensos y se le acercó. Ben no sabía qué hacer. Tenía miedo y quería gritar. En un instante una niña de 10 años habló con la cabra y fue hacia ella. Ella le dijo:

—Cabra, cálmate.

La cabra escuchó a la niña y se calmó. Ben también se calmó. Estaba contento porque la niña era su heroína.

Ben continuó al desfile con la familia. Anabel estaba al lado de Ben durante el desfile. No decía mucho. No decía nada. Ben vio que el desfile era muy diferente a los desfiles americanos. El desfile comenzó con los líderes religiosos. Los desfiles en los Estados Unidos comenzaban con los bomberos o la policía pero aquí comenzaban con los líderes de la iglesia. Era muy interesante observarlo todo.

—Parece que en El Salvador tienen mucho respeto hacia los líderes religiosos, ¿no? —le preguntó Ben a Anabel.

Anabel miró a Ben. Estaba sorprendida porque Ben le había hablado.

—Sí, creo que sí —le dijo ella.

Anabel tenía fría la voz. Ben y Anabel no se hablaron más durante el desfile.

Después del desfile todos fueron a la plaza. Había mesas allá y todos se sentaron. Había mucha comida en las mesas. Había arroz, frijoles, tortillas y también tamales y queso. Había pupusas. Había fruta fresca con crema. Había licuados, café y gaseosas. Todo parecía sabroso. Aun los frijoles y arroz.

Ben tenía un plato grande de comida. Se sentó y comió con los otros. Habló con sus amigos. Habló con los Zamora. Habló con otros amigos. Lo miró todo. Se dio cuenta de que tenía muchos amigos aquí en El Salvador. Eran más que amigos. Eran como familia. La gente aquí era diferente. Ben creía que la gente aquí vivía con más amor y más cariño. Ben no sabía exactamente lo que era, pero sabía que había algo aquí en esta cultura que no existía en los Estados Unidos.

Ben siguió observando. Las familias parecían muy unidas. Hoy las familias estaban muy juntas. Los niños estaban con sus familias. Estaban jugando y sonriendo. Ben ya llevaba casi tres meses con estas personas en el pueblito. Pensó en el primer día. Toda la pobreza. No tenían cosas que antes habían sido importantes para él. Pero tenían algo que sus amigos no tenían. Ben no sabía exactamente lo que era. Solo sabía que ellos tenían algo.

Ben entendía una cosa. Anabel tenía razón. Estas personas eran ricas. No necesitaban casas grandes para ser felices. No necesitan muchas cosas para tener la felicidad. Eran felices sin todas esas cosas.

Después de todo, tenían familia y amigos. Tenían cariño. Tenían sus iglesias y tenían comida. Tenían todo lo que necesitaban para ser felices.

Era cierto que había tristeza aquí. No eran perfectos. Había enfermos. Terremotos. Había problemas. Pero tenían vidas simples. No tenían vidas complicadas. Vivían felices.

Ben tenía que encontrar a Anabel. Tenía que pedir perdón. Tenía que decirle que ella tenía toda la razón. Ben realmente tenía mucho amor por la gente aquí en El Salvador. Era loco pero era la verdad.

Ben encontró a Anabel. Estaba con dos amigas. Estaban charlando. Se sentó al lado de ella. Anabel no miró a Ben. Seguía comiendo y charlando con sus amigas.

Ben esperó unos minutos. Por fin las dos amigas se levantaron y fueron por más comida. Ben ya tenía su oportunidad.

—Anabel —le dijo Ben—. Perdóname.

—¿Por qué? —le respondió Anabel.

—Por todas las cosas que dije de El Salvador. No tenía razón acerca de tu país. No tenía razón acerca

de mi país. Tienes una vida súper buena aquí. Veo que tienen todo lo importante —le dijo Ben.

—¿Por qué piensas eso, Ben? —le preguntó Anabel.

—Ahora veo todo. Hoy en el día festivo veo a la gente aquí —le dijo Ben—. Veo a familias unidas. Familias con mucho amor. Niños sonriendo. Gente feliz.

—Ben, es cierto. Somos felices —le contestó Anabel—. Es cierto que a veces quiero tener más. Quiero tener ropa más bonita o más cara. Quiero tener todas las cosas que Uds. tienen. Pero tenemos todo lo importante.

—Ya entiendo eso, Anabel —le dijo Ben—. Ya veo lo mucho que tienen.

—Vamos Ben —le dijo Anabel.

Los dos se levantaron. Jugaron. Bailaron. Bailaron hasta muy tarde en la noche. A medianoche había fuegos artificiales. Todo era hermoso. La vida era buena.

CAPÍTULO DOCE
Ben vuelve a casa

Ben salió del avión. El aire era fresco en San Francisco. Ben salió del avión con su guayabera, su camisa de El Salvador. Buscó a sus padres. Ben estaba emocionado.

—Ben. Aquí estamos —le gritó la madre de Ben.

Su madre corría hacia él. Estaba sonriendo. Parecía muy contenta de ver a su hijo.

El padre de Ben estaba con ella. Él también parecía muy contento de ver a su hijo después de tres meses.

—¡Mamá! ¡Papá! —les gritó Ben.

Corrió hacia ellos. Estaba muy contento de verlos. Les dio un gran abrazo.

—Ben, te ves muy bien. Muy guapo —le dijo la mamá—. Con esos músculos grandes, parece que trabajaste mucho.

Era verdad que Ben tenía músculos más grandes.

—Sí, mamá. Construir casas es mejor que hacer ejercicio en el gimnasio.

—Te ves maravilloso —le dijo el padre.

Los señores Sullivan fueron al carro con Ben. Ben les habló acerca de todo. Les contó acerca de la comida.

El terremoto. El trabajo duro. La gente. Les contó acerca de las cabras malas y la vida en El Salvador.

—Veo que estás contento de estar aquí de nuevo. Hace mucho tiempo que no te vemos Ben. Me alegro mucho de verte —le dijo la mamá.

Ben estaba contento pero algo era extraño. Extrañaba El Salvador. Extrañaba a la gente. Todo parecía diferente aquí ahora. La ciudad era muy grande. Todo parecía rápido. Todos los carros nuevos. Todos con ropa elegante.

Ben pensaba en el otro mundo. El mundo de Santa Lucía. Pensaba en Anabel y la familia Zamora. California ahora parecía diferente.

Todos fueron a cenar. Cenaron en Steak Palace. Ben comió bastante. La comida era sabrosa. No extrañaba los frijoles y arroz con tortillas.

Después de cenar quería ir a la casa de Mindy. Quería verla y hablar con ella. Quería contarle de su verano en El Salvador. Ben no entendía por qué Mindy no le había escrito pero quería hablar con ella de todos modos.

Fue a la casa de Mindy. Tocó a la puerta. Mindy abrió la puerta. Miró a Ben y le gritó:

—Hola Ben. ¿Cómo estás? Te ves fantástico.

—Gracias Mindy. ¡Tú te ves muy hermosa y tu pelo está muy bonito!

Los dos se abrazaron.

—¿Cómo te fue en París? —le preguntó Ben a Mindy.

—París es lo mejor. Puedes comprar de todo. La ropa de París es mejor que la ropa de aquí. Me encanta comprar. Me encanta comprar en París —le dijo Mindy.

Mindy siguió hablando de París. Siguió hablando de ropa. Ropa de diseño. Ropa de París. Zapatos de París. Ropa que costaba mucho pero no importaba. Era ropa fantástica.

Ben quería hablar de El Salvador. Quería hablarle de sus experiencias. El día festivo. Las cabras malas. El trabajo duro. Quería contarle todo pero Mindy no le preguntó nada de su verano. Solo habló de París. Por fin dejó de hablar e hizo una pregunta.

—Ben —le dijo Mindy—. ¿Dónde está el carro? ¿El carro nuevo?

—¿Mi carro? —le preguntó Ben.

—Sí, Ben —le dijo Mindy—. ¿Recuerdas lo que es un carro? Nosotros tenemos carros en California. Probablemente no hay carros en Centroamérica. No recuerdas. Fuiste a Centroamérica para obtener tu propio carro. Es la única razón por la que fuiste.

Ben no sabía qué decirle a Mindy. No lo podía explicar. No le podía hablar de El Salvador. Sabía la verdad. No podía hablar con ella de su verano. Mindy nunca podría entender. Mindy solo entendía de zapatos, ropa, París, carros y partidos de fútbol. No podría entender la buena vida en El Salvador.

—No tengo un carro ahora —le dijo Ben.

En ese momento llegó un chico en un Mercedes enfrente de la casa de Mindy. Era Jason. Jason Smithsonian. Era un chico muy popular de la escuela. Sus padres eran muy ricos. Ya tenía su propio Mercedes.

Mindy caminó hacia Jason. Le dijo a Ben:

—Ben, llámame cuando tengas tu carro nuevo. Quiero verlo.

Mindy se fue con Jason en su carro. Ben los miró mientras se iban y pensó que hacían una pareja hermosa. Mindy era perfecta para Jason y Jason era perfecto para Mindy. Tal vez uno pensaría que lo tenían todo. Después de todo, tenían ropa de París y un Mercedes.

Pero Ben lo veía todo con ojos diferentes ahora. Ben pensó que Mindy no era tan bonita como antes. Él ya no quería salir con Mindy.

Ben volvió a casa y escribió. Le escribió un mensaje largo a Anabel. La extrañaba mucho y también extrañaba El Salvador. Ahora se había dado cuenta de la lección de vida que había recibido.

CAPÍTULO TRECE
Su propio auto

A la mañana siguiente Ben durmió hasta tarde. Estaba muy cansado de su viaje. Parecía extraño dormir tanto. Se levantó y comió cereal. Le encantaba la comida de los Estados Unidos.

Su padre entró al comedor. Era sábado así que sus padres no tenían que trabajar.

—Bueno hijo —le dijo el papá—. Ya has tenido mucho tiempo de pensar en el carro. ¿Quieres un Toyota Prius? ¿Qué tipo de carro quieres?

Ben no lo podía creer. Por fin podía tener un carro nuevo. Podía tener un carro que costaba veinticinco mil dólares. Por fin podía tener su carro nuevo.

—Papá. No sé. No estoy seguro —le dijo Ben.

—¿No quieres un Prius? No importa. Podemos comprar otro Toyota o un Ford. No importa —le respondió el padre.

—No. No. Ese no es el problema —le contestó Ben.

—¿Cuál es el problema? —le preguntó el papá.

—Papá. Sigo pensando en la gente de Santa Lucía. La mayoría de ellos no tienen carros. No tienen carros nuevos ni viejos. Y ellos están bien.

—Es verdad, hijo —le dijo el papá.

—Las personas de Santa Lucía necesitan el dinero para tener donde vivir. Hay familias que todavía no tienen casa. Todavía sufren a causa del terremoto. Papá, ¿por qué no le das el dinero del carro a la gente de Santa Lucía? Ellos necesitan más las casas de lo que yo necesito un auto. No tenía un auto antes y no lo necesito ahora.

El padre de Ben casi se desmayó. No podía creer lo que estaba diciendo su hijo.

—¿Estás seguro, Ben?

—Papá. Estoy seguro. No quiero el auto —le contestó Ben.

—Estoy muy orgulloso de ti, hijito —le dijo el Sr. Sullivan—. Es increíble. Es algo maravilloso.

—Papá, me siento bien con esto. Me siento muy bien —le dijo Ben—. Puedo comprar un carro en el futuro pero ahora ellos tienen mucha más necesidad que yo.

—Ben, tú eres fenomenal —le dijo el papá.

Ben sonrió. Comió más cereal. Su padre pensaba que era fenomenal. ¡Qué bueno! Tal vez tendría un carro para su próximo cumpleaños. O tal vez regresaría a El Salvador.

Glosario

A

a *to, at*
  a comer *let's eat*
  a mano *by hand*
abrazan: se abrazan *they hug each other*
abrazaron *they hugged*
abrazo(s) *hug(s)*
abre *s/he opens*
  se abre *opens (is opened)*
abrió *s/he opened*
acá: por acá *here*
acaba de llegar *s/he just arrived*
acepta *s/he accepts*
aceptaba *s/he accepted*
aceptan: se aceptan *are accepted*
acerca (de) *about*
acerca: se acerca a *s/he comes up to, gets close to*
  se le acerca *s/he gets close to him*
acercaban: se acercaban *they came up to, got close*
acercan: se acercan *they come up to, get close*
acercó: se acercó *s/he came up to, got close to*
acostaba: se acostaba *s/he went to bed*
acostar *to go to bed*
acostó: se acostó *s/he went to bed*
acostumbra: se acostumbra *s/he is getting used to, is getting accustomed to*

acostumbrado *accustomed, used to*
acostumbró: se acostumbró *s/he got used to, got accustomed to*
acuesta: se acuesta *s/he goes to bed, lies down*
además *besides*
adiós *bye, goodbye*
adobe *adobe*
adoptamos *we adopted*
aeropuerto *airport*
afectó *affected*
agencia *agency*
agosto *August*
agua *water*
ahora *now*
aire *air*
al *to the*
  al día siguiente *the next day*
  al mirar *upon looking at*
alcohol *alcohol*
alegro: me alegro de *I'm happy to*
algo *something*
algún/alguna *some*
algunas/algunos *some*
allá *there*
allí *there, over there*
almuerzo *lunch*
  para el almuerzo *for lunch*
amarillo(s) *yellow*
americana(s)/americano(s) *American(s)*
amiga(s) *friend(s) (female)*
amigo(s) *friend(s)*

amor *love*
anda *s/he walks*
animadora(s) *cheerleader(s)*
animales *animals*
año(s) *year(s)*
antes (de) *before*
  antes de comer *before eating*
aprender *to learn*
aquí *here*
árbol *tree*
arriba *up*
arroz *rice*
artificiales: fuegos artificiales
  fireworks
así *like this*
  así que *so (that), as a result*
asiste a *s/he attends*
asistía a *s/he attended*
asusta *s/he scares*
asustó *s/he scared*
atención *attention*
aterriza *it lands*
aterrizó *it landed*
aun *even*
aún *still*
aunque *although, though*
auto(s) *car(s), automobile(s)*
autobús *bus*
autopistas *highway*
avión *airplane*
ayer *yesterday*
(la) ayuda *(the) help*
ayuda *s/he helps*
ayudaban *they helped*
ayudan *they help*
ayudar *to help*
ayudarme *to help me*

ayudarte *to help you*
azúcar *sugar*
azul(es) *blue*

B
bailan *they dance*
bailaron *they danced*
baloncesto *basketball*
banana(s) *banana(s)*
baño *bathroom*
barata *cheap*
bastante *a lot, plenty*
bebe *s/he drinks*
bebía *s/he drank, was drinking*
bebido: había bebido *s/he had*
  drank
bebió *s/he drank*
bendecir *to bless*
bicicleta *bicycle*
bien *well, OK, very*
  más bien *rather*
bienvenido(s) *welcome*
blanco *white*
bloques *blocks*
blusa *blouse*
boleto *ticket*
bomberos *firefighters*
bonita(s)/bonito(s) *pretty*
buen/buena(s)/bueno(s) *good*
  bueno: qué bueno *great,*
  terrific
bus(es) *bus(es)*
busca *s/he looks for*
buscar *to look for*
buscó *s/he looked for*

C
cabeza *head*
cabra(s) *goat(s)*
cada *each*
cae: se cae *s/he falls*
caer/caerse *to fall down*
café *coffee*
caído: se habían caído *they had fallen*
calle *street*
calma: se calma *s/he calms down*
cálmate *calm down (command)*
calmó: se calmó *s/he calmed down*
calor *heat*
  tiene calor *s/he is hot*
  hace calor *it is hot*
cama *bed*
cambiar *to change*
cambiará *will change*
camina *s/he walks*
caminaba *s/he walked*
caminan *they walk*
caminar *to walk*
caminaría *s/he would walk*
caminaron *they walked*
caminó *s/he walked*
camisa *shirt*
campo *countryside*
cansada/cansado *tired*
capital *capital*
capítulo *chapter*
cara *face, expensive*
Caribe *Caribbean*
cariño *affection*
carne *meat*

carpas *tents*
carreteras *roads*
carro(s) *car(s)*
casa *house*
casamiento *"wedding," a Salvadoran dish*
casas *houses*
casi *almost*
castaños *brown*
castigo *punishment*
catedral *cathedral*
católica *Catholic*
causa: a causa de *because of*
causado: habían causado *they had caused*
causados *caused*
cayeron: se cayeron *they fell down*
cayó: se cayó *s/he fell down*
celebración *celebration*
cemento *cement*
cena *dinner*
cenan *they eat dinner*
cenar *to eat dinner*
cenaron *they ate dinner*
centavos *cents*
centro *center*
Centroamérica *Central America*
centroamericanos: países centroamericanos *Central American countries*
cerca de *close to, near*
cereal *cereal*
cerrada *closed*
charlando *chatting, talking*
chica(s) *girl(s)*
chico(s) *boy(s)*

cierta/cierto *certain, true*
cinco *five*
ciudad *city*
civilización *civilization*
civilizado(s) *civilized*
clientes *customers*
cocina *kitchen*
colones *old currency of El Salvador replaced by the U.S. dollar*
color(es) *color(s)*
come *s/he eats*
comedor *dining room*
cómela *eat it (command)*
comemos *we eat*
comen *they eat*
comenzaban *they were starting*
comenzado *started*
  había comenzado *it had started*
comenzamos *we started/began*
comenzar *to start, to begin*
comenzó *s/he/it started, began*
comer *to eat*
  a comer *let's eat*
comerla *to eat it*
comía *s/he ate, was eating*
comida *meal, food*
comido: había comido *s/he had eaten*
comiendo *eating*
comienza (a) *begins (to), starts (to)*
comienzan *they begin, they start*
comieron *they ate*
comió *s/he ate*

como *like*
cómo *how*
  cómo no *sure, of course*
cómoda *comfortable*
compactos: discos compactos *CDs*
competitividad *competitiveness*
compiten *they compete*
complicadas *complicated*
comprar *to buy*
comprende *s/he understands*
comprender *to understand*
comprendía *s/he understood*
comprendo *I understand*
computadora(s) *computer(s)*
con *with*
confundido *confused*
conmigo *with me*
conoce *s/he knows (a person), is familiar with*
conocen *they know (a person), they meet, they are familiar with*
conocer *to know, meet*
conoces *you know*
conocía *s/he knew*
conocían *they knew*
conocido: había conocido *s/he had met*
conoció *s/he knew, met*
conozco *I know*
construcción *construction*
construidas *constructed (adjective)*
construir *to construct, to build*
construye *s/he constructs, builds*

construyendo *constructing, building*
construyéndola *constructing it*
contarle *to tell her*
contenta(s), contento(s) *happy*
contentos de *happy to*
contesta *s/he answers*
contestó *s/he answered*
contigo *with you*
continúa *s/he continues*
continuó *s/he continued*
contó *s/he told*
contra *against*
conversaciones *conversations*
conversar *to talk, to converse*
corras: no corras *don't run (command)*
corre *s/he runs*
correr *to run*
corres *you run*
corría *s/he ran, was running*
corriendo *running*
corriente: agua corriente *running water*
corrió *s/he ran*
corto *short (distance or time)*
cosa(s) *thing(s)*
costa *coast*
costaba *it cost (past tense)*
cree *s/he believes, thinks*
creer *to think, to believe*
crees *you think, you believe*
creía *s/he believed, was believing*
crema *(whipped) cream*
creo *I think, I believe*

crucero *cruise (noun)*
cruz *cross*
cuál *which, what*
cualquier *any*
cuando *when*
cuánto *how much*
cuarto(s) *room(s)*
cuatro *four*
cuenta *s/he tells*
  se da cuenta *s/he realizes*
cuesta *it costs*
cultivaban *they cultivated, farmed*
cultivan *they cultivate, farm*
cultura *culture*
cumpleaños *birthday*
cumplió 16 años *s/he turned 16*

D

da *s/he gives*
  se da cuenta *s/he realizes*
daba: daba la impresión *it gave the impression*
daban *they gave*
dado: se había dado cuenta *s/he had realized*
dan *they give*
dando de comer *feeding*
daño(s) *damage(s)*
dar *to give*
darte *to give (to) you*
das *you give*
de *of, from*
  más de *more than*
  de veras *really*
debido a *due to*

decía *s/he said, was saying*
decide *s/he decides*
decidió *s/he decided*
decir *to say, to tell*
  quieres decir *you mean*
decirle *to say to him/her*
decirme *to say to me, to tell me*
deja de *s/he stops*
dejó de *s/he stopped*
del *of the*
deliciosa *delicious*
deportivo *sports (adj.)*
desayuno *breakfast*
desfile(s) *parade(s)*
desmaya: se desmaya *s/he faints*
desmayó: se desmayó *s/he fainted*
despacio *slowly*
despertó: se despertó *s/he woke up*
despiden: se despiden de *they say goodbye to*
despidieron: se despidieron *they said goodbye*
despierta/despiertos *awake*
despierta: se despierta *s/he wakes up*
después *afterwards, later*
después de *after*
destrucción *destruction*
destruida(s) *destroyed (adj.)*
destruyó *it destroyed*
detrás de *behind*
día *day*
dice *s/he says, tells*
dicen *they say, they tell*

dices *you say, you tell*
diciendo *saying, telling*
diez *ten*
diferente(s) *different*
difícil *difficult*
dije *I said*
dijeron *they said, told*
dijo *s/he said, told*
dinero *money*
dio *s/he gave*
dirección *direction*
director *director*
discos compactos *CDs*
diseño: ropa de deseño *designer clothing*
diversión *fun (noun)*
divertido *fun (adj.)*
divertirse *to have fun*
doce *twelve*
doctora *doctor (female)*
dólares *dollars*
dolarizado *dollarized*
dolía: le dolía *his/her _ hurt*
dolor *pain*
donde *where*
dónde *where*
dormido: había dormido *s/he had slept*
dormir *to sleep*
dormiste *you slept*
dormitorio(s) *bedroom(s)*
dos *two*
drogas *drugs*
duele: le duele *his/her __ hurts*
duerme *s/he sleeps*
dulce *sweet*
dura *it lasts*

dura(s)/duro(s) *hard, difficult*
durante *during, for*
durmiendo *sleeping*
durmió *s/he slept*
duró *it lasted*

E
e *and*
edificio(s) *building(s)*
ejemplo *example*
ejercicio *exercise*
el *the*
él *he, him*
elegante *elegant*
ella *she, her*
ellas *them, they*
ellos *them, they*
embargo: sin embargo
  nevertheless
emocionado *excited*
emocionante *exciting*
empacar *to pack*
empezar *to start, to begin*
empezó *s/he started*
empieza *s/he starts*
en *in, on, at*
encanta: le encanta *s/he loves*
  me encanta *I love*
encantaba: le encantaba
  s/he loved
encantan: me encantan
  I love
encante: no hay nada aquí
  que me encante *there is*
  nothing here that I love
encontrar *to find*
encontró *s/he found*

encuentra *s/he finds*
enfermo *sick*
enfermos *sick people*
enfrente de *in front of*
enojada(s)/enojado(s) *angry*
entender *to understand*
entenderlo todo *to understand*
  it all
entendía *s/he understood*
enteros *entire*
entiende *understands*
entiendes *you understand*
entiendo *I understand*
entra *s/he enters*
entran *they enter*
entrar *to enter*
entraron *they entered*
entre *between*
entró *s/he entered*
entusiasmo *enthusiasm*
equipo(s) *team(s)*
era *s/he was*
eran *they were*
eres *you are*
es *s/he / it is*
esa *that*
esas *those*
escapar *to escape*
escribe *writes*
escribiendo *writing*
escribió *s/he wrote*
escrito: había escrito *s/he had*
  written
escucha *s/he listens to*
escuchado *listened*
  había escuchado *s/he had*
  listened

escuchar *to listen (to)*
escuchó *s/he listened*
escuela(s) *school(s)*
ese *that, that one*
eso *that*
  por eso *that's why*
esos *those*
espacio *space*
espalda *back*
español *Spanish*
especial *special*
espera *s/he waits*
esperar *to wait*
esperó *s/he waited*
esta *this, this one*
está *s/he is*
estaba *s/he was*
estaban *they were*
estado: había estado *s/he had been*
Estados Unidos *United States*
estamos *we are*
están *they are*
estar *to be*
estas *these*
estás *you are*
este *this, this one*
esté: no le gusta que una cabra mala lo esté siguiendo *he doesn't like that a bad goat is following him*
esto *this*
estos *these*
estoy *I am*
estudiado: había estudiado *s/he had studied*
estudiante(s) *student(s)*

estudiar *to study*
estudió *s/he studied*
estufa *stove*
estuviera: no le gustó que una cabra mala lo estuviera siguiendo *he didn't like that a bad goat was following him*
estuvo *s/he was*
Europa *Europe*
evidencias *pieces of evidence*
exacta *exact*
exactamente *exactly*
excepción *exception*
excepcionales *exceptional*
existe *it exists*
existía *it existed*
éxito *success*
experiencia(s) *experience(s)*
experimento *experiment*
explica *s/he explains*
explicar *to explain*
explicó *s/he explained*
expresión *expression*
extraña *s/he misses*
extrañaba *s/he missed*
extraño *strange*

F
falda *skirt*
falta: falta solamente una semana *only one week remains*
faltaba: faltaba solamente una semana *only one week remained*
familia *family*
familiar *family (adj.)*
familias *families*

fantástica/fantástico *fantastic*
fascinante *fascinating*
favorito *favorite*
felices *happy*
felicidad *happiness*
feliz *happy*
fenomenal *phenomenal*
festivo: día festivo *holiday*
fiesta *party*
fiestas *parties*
fin *end (noun)*
  por fin *finally*
final: al final *at the end*
flor *flower*
formándose *taking shape*
fresa *strawberry*
fresca *fresh*
fresco *cool*
fría *cold*
frijoles *beans*
fruta *fruit*
fue *it was; s/he went*
  ¿Cómo te fue? *How did it go (for you)?*
fuegos artificiales *fireworks*
fuera (de) *outside (of)*
fueron *they went*
fuerte(s) *strong, hard*
fuiste *you went*
fuma *s/he smokes*
fumaba *s/he smoked, was smoking*
funciona *it works, functions*
funcionaba *it worked/functioned*
fútbol *soccer*
futuro *future*

G

ganas: tiene ganas (de) *feels like (doing something)*
gaseosas *soft drinks*
generalmente *generally*
gente *people*
gimnasio *gym*
gobierno *government*
golf *golf*
gorda *fat*
gracias *thanks*
gran/grande(s) *big*
gringo(s) *Caucasion, American(s)*
grita *s/he screams, shouts, yells*
gritan *they scream, shout, yell*
gritar *to scream, to shout, to yell*
gritó *s/he yelled*
gruesa *thick*
guapo(s) *handsome*
guayabera *short-sleeved, loose-fitting shirt*
guerra *war*
gusta *is pleasing, pleases*
  le gusta *s/he likes*
  me gusta *I like*
gustaba: le gustaba *s/he liked*
gustaban: le gustaban *s/he liked*
gustado: no le había gustado *s/he hadn't liked*
gustan *they are pleasing*
  le gustan *s/he likes them*
  me gustan *I like them*
  te gustan *you like them*
gustar: le va a gustar *s/he is going to like it*

gusto *pleasure*
  mucho gusto *nice to meet you*
  con gusto *with pleasure*
gustó: no le gustó *s/he didn't like*

H
ha *s/he has*
  ha visto *s/he has seen*
  ha trabajo *s/he has worked*
  ha pasado mucho tiempo *a lot of time has passed*
  ha recibido *s/he has received*
había *there was/were; s/he had (done something)*
  había comido *s/he had eaten*
  había escuchado *s/he had listened to*
  había ido *s/he had gone*
  se había caído *it had fallen*
habían *they had (done something)*
  habían causado *they had caused*
  se habían caído *they had fallen*
habla *s/he speaks, talks*
hablaba *s/he spoke, was speaking*
hablaban *they spoke, were speaking*
hablado: han hablado *they have talked, they have spoken*
hablan *they talk*
hablando *talking*
hablar *to talk*
hablarle *to talk to him/her*

hablaron *they spoke, talked*
habló *s/he spoke, talked*
hace *it makes, it does*
  hace dos meses *two months ago*
  hace una pregunta *asks a question*
  hace mucho tiempo *it has been a long time*
  hace calor *it is hot (weather)*
hacen *they do, they make, you (all) do, you (all) make*
hacer *to do, to make*
  es mejor que hacer ejercicio *it is better than doing exercise*
hacerlo *to do it*
hacia *towards*
hacía *s/he did, was doing*
  hacía calor *it was hot*
  hacía dos meses *two months ago*
hacían *they made*
haciendo *doing, making*
hambre *hunger*
  tiene hambre *is hungry*
han hablado *they have talked, they have spoken*
harto de todo *fed up with everything*
has tenido *you have had*
hasta *until, even*
hay *there is, there are*
  hay que *it is necessary, one must*
hecho: había hecho *it had done*

helado *ice cream*
hermanas *sisters*
hermanita *little sister*
hermano *brother*
hermanos *brothers (or a mix of brothers and sisters)*
hermosa/hermoso(s) *beautiful*
heroína *hero*
hija *daughter*
hijito *son (term of endearment)*
hijo *son*
hizo *s/he did, made*
hola *hi, hello*
hombre *man*
honor *honor*
hora(s) *hour(s), time*
  es hora de *it's time to*
  está a dos horas de *it's two hours from*
horrible *horrible*
hoy *today*
hubo *there was, there were*
huele *smells*
huevos *eggs*

I
iba *s/he went, was going*
iban *they went, were going*
idea *idea*
ido: había ido *s/he had gone*
iglesia(s) *church(es)*
imagino *I imagine*
importa *it matters*
importaba *it mattered*
  no le importaba *it didn't matter to him*
importaban *they mattered*

  no le importaban *they didn't matter to him*
importan *(they) matter*
  no le importan *they don't matter to him*
importante(s) *important*
impresión *impression*
incidente *incident*
incluso *even*
incómoda/incómodo *uncomfortable*
increíble *incredible*
independencia *independence*
información *information*
ingeniero *engineer*
instante *instant*
intensos *intense*
interesante(s) *interesting*
ir *to go*
irte: vas a irte *you're going to leave*
isla *island*

J
jamón *ham*
joven *young man, young*
jóvenes *young people*
juega *s/he plays*
  se juega *it is played*
juegan *they play*
juego(s) *game(s)*
jugaba *s/he played, was playing*
jugando *playing*
jugar *to play*
  jugar al baloncesto *to play basketball*
jugaron *they played*

julio *July*
juntas *together*

L

la *the, her, it*
lado *side*
  al lado *beside*
larga/largo *long*
las *the*
lava *s/he washes*
  se lava las manos *s/he washes his hands*
lavó *s/he washed*
  se lavó las manos *s/he washed his hands*
le *him/her, to him/her*
  le gusta *s/he likes (it is pleasing to him/her)*
  le gustan *s/he likes them (they are pleasing to him/her)*
lección de vida *life lesson*
leche *milk*
lee *s/he reads*
lejos de *far from*
les *(to) them*
levanta: se levanta *s/he gets up*
levantaba: se levantaba *s/he got up*
levantan: se levantan *they get up*
levantaron: se levantaron *they got up*
levantó: se levantó *s/he got up*
leyó *s/he read*
licuado(s) *fruit shake(s) with or without milk*
líderes *leaders*

listo *ready*
llama *s/he calls*
  se llama *s/he is called, is named, calls himself/herself/ itself*
llamaba: se llamaba *his/her name was*
llamado *called*
llámame *call me (command)*
llave(s) *key(s)*
llega *s/he arrives*
llegan *they arrive*
llegar *to arrive*
  llegar a ser *to become*
llegaron *they arived*
llegó *s/he arrived*
lleva *s/he carries, brings*
  lleva casi tres meses *he has almost spent three months*
llevaba: llevaba casi tres meses *he had almost spent three months*
llevar *to take*
  te va a llevar *s/he is going to take you*
llueve *it rains*
lo *it, him*
  lo más rápido posible *as fast as possible*
  lo mejor *the best*
  lo que *what*
  lo único *the only thing*
  todo lo importante *everything that is important*
  todo lo que *everything that*
loca/loco *crazy*
local *local*

G-12

lógico *logical*
Londres *London*
los *the, them*
lugar(es) *place(s)*

M

madre *mother*
maíz *corn*
mal/mala(s)/malo *bad*
maleta(s) *suitcase(s)*
mamá *mom*
mañana *morning, tomorrow*
manejaban *they drove*
manejan *they drive*
manejar *to drive*
manera(s) *way(s), manner(s)*
  de todas maneras *anyway*
mano(s) *hand(s)*
  a mano *by hand*
máquinas *machines*
maravilloso *marvelous*
marca *brand; s/he scores*
  marca un touchdown *s/he scores a touchdown*
más *more*
  lo más rápido posible *as fast as possible*
  más bien *rather*
  más que nada *more than anything*
materiales: cosas materiales *material things*
mayoría *majority*
me *(to) me*
  me alegro de *I'm happy to*
  me encanta (estar) *I love (being)*

me gusta *I like (it is pleasing to me)*
me gustan *I like them (they are pleasing to me)*
me quedo *I stay*
me siento bien con *I feel good about*
medianoche *midnight*
médica *medical*
médico *doctor*
mejor *better, best*
  lo mejor *the best*
  mejor que *better than*
mejorar *to get better*
mejores *best*
menos *less*
  menos en *except in*
mensaje *message*
mes(es) *month(s)*
mesa(s) *table(s)*
mesita *little table*
metal *metal*
mexicana *Mexican*
mezcla *mixture*
mi *my*
mí *me*
miedo: tiene miedo *is scared*
mientras *while*
mil(es) *thousand(s)*
milla *mile*
miniván *minivan*
minutos *minutes*
mira *s/he looks (at)*
míralo *look at it (command)*
mirar *to look (at)*
miró *s/he looked (at)*
mis *my*

misma *same*
mismo *same*
modelo *model*
modos: de todos modos
  anyway
molesta *(she/he/it) bothers*
molestando *bothering*
momento *moment*
moneda *coin, currency*
montañas *mountains*
morada/morado *purple*
mucha(s)/mucho(s) *much, a lot
  of, many*
muchísimo *a tremendous
  amount, a great deal*
muertas *dead (adj.)*
muerto: habían muerto *they
  had died*
mujer *woman*
mundo(s) *world(s)*
murieron *they died*
murió: se murió *died*
músculos *muscles*
música *music*
muy *very*

N
nacional *national*
nada *nothing*
  más que nada *more than
  anything*
nadar *to swim*
nadie *no one, nobody*
necesidad *necessity*
necesita *s/he needs*
necesitaba *s/he needed*
necesitaban *they needed*

necesitamos *we need*
necesitan *they need*
necesitar *to need*
necesitaron *they needed*
necesitas *you need*
necesito *I need*
negro *black*
nervioso *nervous*
ni *nor, neither*
  ni siquiera *not even*
  ni una vez *not even one time*
niña *little girl*
niñas chicas *small girls*
niños *little children*
no *no*
noche *night*
normal(es) *normal*
norteamericano *American*
nos *to us, for us*
nosotros *we*
nota *s/he notices*
  se nota *it is noticeable*
notas *grades*
notó *s/he noticed*
  se notó *it was noticeable*
novia *girlfriend*
novios *boyfriend and girlfriend*
nuestra(s)/nuestro(s) *our*
nueva *new*
nueve: las nueve *nine o'clock*
nuevo(s) *new*
  de nuevo *again*
nunca *never*

O
o *or*
observa *s/he observes*

observaba *s/he observed, was observing*
observando *observing*
observarlo *to observe it*
observó *s/he observed*
obtener *to obtain, to get*
ocho *eight*
ocupada *busy*
oficial *official*
oficina *office*
ofrece *s/he offers*
ofrecía *s/he offered*
ojos *eyes*
olía *it smelled*
olvidarse de *to forget about*
once *eleven*
opción *option*
opciones *options*
opinión *opinion*
oportunidad *opportunity*
oración *prayer*
orgulloso(s) *proud (adj.)*
otra(s)/otro(s) *another, other(s)*
oye *s/he hears*
oyó *s/he heard*

P

padre *father*
padres *parents*
pagar *to pay*
país *country*
países *countries*
palabras *words*
pan tostado *toast*
papá *dad*
papas *potatoes*
papel *paper*

paquete *package*
para *for, in order (to)*
paran *they stop*
pararon *they stopped*
parece *it seems, appears*
  se parece a *s/he/it looks like*
parecen *they seem, they appear*
pareces *you seem*
parecía *it seemed, appeared*
parecían *they seemed, they appeared*
pared *wall*
pareja *couple*
parte *part*
particular *private*
partidos *games*
pasa *it passes, goes by, happens*
  ¿qué pasa? *what's going on?*
pasaba *it passed, was passing*
pasado *past (adj.), passed*
  ha pasado mucho tiempo *much time has gone by*
pasar *to spend (time)*
  lo va a pasar muy bien *you're going to have a good time*
pasaría *it would pass/go by*
pasas *you spend/pass (time)*
pasó *it passed*
pasteles *cakes*
patrón: santo patrón *patron saint*
pedir perdón *to ask for forgiveness*
pega *s/he hits*
pegar *to hit*
pegó *s/he hit*

pelear *to fight*
pelo *hair*
pelota *ball*
pensaba *s/he thought*
pensaban *they thought*
pensado: había pensado
 s/he had thought
pensando *thinking*
pensar (en) *to think (about)*
pensaría *s/he would think*
pensó *s/he thought*
pequeña(s)/pequeño(s) *small*
perdieron *they lost*
perdón: pedir perdón *to*
 apologize, to ask for forgiveness
perdóname *forgive me*
 (command)
perfecta/perfecto(s) *perfect*
perfectamente *perfectly*
permite: se permite *is*
 permitted, is allowed
 no se permite entrar a nadie
 no one is allowed to enter
permitía: se permitía *was*
 permitted, was allowed
pero *but*
persona *person*
personas *people*
pie *foot*
 a pie *on foot, walking*
piensa (en) *s/he thinks (about)*
piensan *they think*
piensas *you think*
pies *feet*
pintado *painted*
piscina *swimming pool*
placer *pleasure*

plan(es) *plan(s)*
planeta *planet*
planta(s) *plant(s)*
plato *plate*
playa(s) *beach(es)*
plaza *town square*
pobre(s) *poor*
pobreza *poverty*
poco *not much, few, little*
 (quantity)
 un poco (de) *a little bit (of)*
podemos *we can, we are able*
 to
poder *to be able to*
podía *s/he could, was able*
podían *they could, were able*
podría *s/he could, would be*
 able
 podría ser *could be*
policía *police*
pollos *chickens*
pompis *backside*
pone *s/he puts, places*
 se pone *s/he gets, becomes*
popular(es) *popular*
por *for, through, because of, by*
 por fin *finally*
 por qué *why*
 por eso *that's why*
porque *because*
posible *possible*
postre *dessert*
potencia *power*
prácticamente *practically*
preciosas *precious, beautiful*
prefería *s/he preferred*
prefiere *s/he prefers*

prefiero *I prefer*
pregunta *s/he asks*
preguntó *s/he asked*
preocupado *worried (adj.)*
preocupes: no te preocupes
  don't worry (command)
prepara *s/he prepares*
preparaba *s/he prepared, was
  preparing*
preparando *preparing*
preparar *to prepare*
presento *I present, I introduce*
primaria: escuela primaria
  elementary school
primer, primero *first*
probablemente *probably*
problema(s) *problem(s)*
probó *s/he tried*
produce *it produces*
producía *it produced*
profesión *profession*
profesor *(male) teacher*
profesores *teachers*
programa *program*
propia(s)/propio *own*
próxima/próximo *next*
prueba *s/he tastes*
pudiera *s/he could*
  **si pudiera hablar con las
  chicas** *if he could talk to the
  girls*
pueblito *little town*
pueblo(s) *small town(s)*
pueda *s/he can*
  **No hay suficiente gente que
  pueda ayudar** *there aren't
  enough people that can help*

tal vez pueda tener un carro
  maybe he can have a car
puede *s/he can, is able to*
  se puede *one can, is able to*
pueden *they can, are able to*
puedes *you can, are able to*
puedo *I can, am able to*
puerta *door*
puntos *points*
pupusa(s) *thick, hand-made
  corn tortilla(s) with beans and
  cheese and/or meat inside*
pupusería *a restaurant that
  specializes in pupusas*
puso *s/he put*

Q
que *that, than*
qué *what, how, what a*
  qué bueno *great, terrific*
queda: se queda *s/he stays*
quedaba *s/he stayed*
**quedarme: voy a quedarme
  todo el verano** *I am going to
  stay all summer*
quedarte: vas a quedarte *you
  are going to stay*
quedo: me quedo *I stay*
queremos *we want*
querer *to want*
quería *s/he wanted*
querían *they wanted*
queso *cheese*
quiere *s/he wants*
quieren *they want, you (plural)
  want*
quieres *you want*

quiero *I want*

R

rápidamente *rapidly, quickly*
rápido *fast, quick, rapid*
rara/raro *rare, unusual, strange*
rato *while*
  un rato *a little bit of time*
razón *reason*
  tiene razón *s/he is right*
realmente *really*
recibe *s/he receives*
recibido: había recibido
  s/he had received
recibió *s/he received*
recibir *to receive*
reconstruir *to rebuild*
recordar *to remember*
recuerdas *you remember*
refrescos *soft drinks*
refrigerador *refrigerator*
regalaron *they gave a gift*
regalo *gift*
regresar *to return*
regresaría *s/he would return*
regrese: tal vez regrese *maybe*
  he'll return
regreso *I return*
reía: se reía *s/he laughed, was*
  laughing
relajado *relaxed*
religiosas/religiosos *religious*
reloj *clock, watch*
repite *s/he repeats*
repitió *s/he repeated*
requiere *it requires*
respeto *respect (noun)*

responde *s/he responds*
respondió *s/he responded*
restaurante(s) *restaurant(s)*
resto: del resto *of the rest*
restos *remains*
rica(s)/rico(s) *rich, wealthy*
ridículo *ridiculous*
ríe: se ríe (de) *laughs (at)*
rio: se rio *s/he laughed*
río *river*
rojo/roja *red*
Roma *Rome*
ropa *clothes*
rosada *pink*

S

sábado *Saturday*
sabe *s/he knows*
  sabe a fresa *it tastes like*
  strawberry
sabemos *we know*
saben *they know, you (plural)*
  know
saber *to know*
sabes *you know*
sabía *s/he knew*
sabor *taste, flavor*
  tiene sabor a *it tastes like*
sabrosa/sabroso *tasty,*
  delicious
saca *s/he takes out*
sacaba *s/he took out*
sacó *s/he took out*
sacrificio *sacrifice*
sale (de) *s/he leaves, goes out,*
  comes out
salen *they leave, they go out*

salieron *they left, went out*
salió *s/he left, went out*
salir *to leave, to go out*
salvadoreña/salvadoreño(s) *Salvadoran*
santo patrón *patron saint*
sarcásticamente *sarcastically*
se *himself/herself/itself/ themselves; each other*
  se abrazan *they hug each other*
  se aceptan *are accepted*
  se da cuenta *s/he realizes*
  se desmaya *s/he faints*
  se duerme *s/he falls asleep*
  se hablan *they talk to each other*
  se lava las manos *s/he washes his hands*
  se parece a *s/he/it looks like*
  se puede *one can / is able to*
  se ríe (de) *s/he laughs (at)*
  se va a *s/he is leaving for, is going to, goes to*
  se ve bonita *she looks pretty*
  se ve un edificio *a building is seen/visible*
sé *I know*
secundaria: escuela secundaria *high school*
seguía *s/he continued*
segundos *seconds*
seguro *sure*
seis *six*
semana(s) *week(s)*
señal *signal, sign*
señor *gentleman, Mr., husband*
señora *wife, lady, Mrs.*

señores *Mr. and Mrs.*
sentada *seated*
sentaron: se sentaron *they sat down*
sentía: se sentía *s/he felt*
sentimos: nos sentimos bien *we felt well*
sentó: se sentó *s/he sat down*
separada *separated*
ser *to be*
será *it will be*
sería *s/he/it would be*
seria *serious*
servían *they served*
si *if*
sí *yes*
sido *been*
  había sido *it had been*
  habían sido *they had been*
siempre *always*
sienta: se sienta *s/he sits down*
sientan: se sientan *they sit down*
siente: se siente *s/he feels*
siento: me siento *I feel*
  me siento bien con *I feel good about*
  lo siento *I am sorry*
siete *seven*
sigo *I continue, I keep*
sigue *s/he continues, keeps*
siguen *they continue, keep*
siguiendo *following*
siguiente *following, next*
  al día siguiente *the next day*
  a la mañana siguiente *the next morning*

siguieron trabajando *they kept working*

siguió hablando *s/he kept talking*

sillas *chairs*

simpática/simpático(s) *nice*

simples *simple*

sin *without*

sino *but*

sintió: se sintió *s/he felt*

siquiera: ni siquiera *not even*

sirven *they serve*

situación *situation*

situada *situated, located*

sobre *about*

sofá *sofa, couch*

sola *alone*

solamente *only*

solo *only*

solos *alone*

somos *we are*

son *they are*

   son las nueve *it's 9 o'clock*

sonríe *s/he smiles*

sonriendo *smiling*

sonrió *s/he smiled*

sorprendida/soprendido *surprised*

soy *I am*

Sr. (señor) *Mr.*

Sra. (señora) *Mrs.*

su *his, her, their*

suave *soft*

sube: se sube (a) *s/he gets in/on/into*

suben : se suben (a) *they get in/on/into*

subieron: se subieron (a) *they got in/on/into*

subió: se subió (a) *s/he got in/on/into*

sucia(s)/sucio(s) *dirty*

Sudamérica *South America*

suerte *luck*

   tenemos suerte *we're lucky*

suficiente *enough*

   No hay suficiente gente que pueda ayudar *there aren't enough people that can help*

sufren *they suffer*

sufrimos *we suffer*

superbuena/o *super good*

supercontenta *super happy*

sur *south*

sus *his, her, your, their*

T

tal vez *perhaps*

tamales *tamales*

tamaño *size*

también *also*

tan *so, as*

   tan buena como *as good as*

tanto *so much*

tarde(s) *late, afternoon*

tareas *homework assignments*

te *yourself, (to) you, for you*

   ¿cómo te fue? *how did it go (for you)?*

   no te preocupes *don't worry (command)*

   te gustan *you like them (they are pleasing to you)*

te ves muy bien *you look really good*
techo(s) *roof(s)*
tele *TV*
teléfono *telephone*
televisor *television set*
temblar *to shake*
temprano *early*
tendría *s/he would have*
tenemos *we have*
tener *to have, having*
  tener que *to have to*
tenerlo *to have it*
tenerte *to have you*
tengas: cuando tengas *when you have (in the future)*
tengo *I have*
  tengo que *I have to*
tenía *s/he had; I had*
teníamos *we had*
tenían *they had*
tenido *had*
  has tenido *you have had*
tenis *tennis*
terminado: había terminado *it had finished*
terminar *to finish*
terminó *s/he / it finished, ended*
terremoto(s) *earthquake(s)*
terrible *terrible*
ti *you*
tiempo *time*
tiene *s/he has*
  tiene que *s/he has to*
  tiene sabor a *it tastes like*
tienen *they have*
tienes *you have*

tienes que *you have to*
tipo *type, kind*
tira *s/he throws*
toca a la puerta *s/he knocks on the door*
tocan a la puerta *they knock on the door*
tocaron a la puerta *they knocked on the door*
tocó a la puerta *s/he knocked on the door*
toda(s) *all*
  de todas maneras *anyway*
todavía *still*
todo *all, everything*
  todo lo que *everything that*
  comprar de todo *to buy all kinds of things*
todos *all, everybody*
  de todos modos *anyway*
toma *s/he takes*
  toma… desayuno *s/he eats/ has… breakfast*
tomaba *s/he took*
tomar *to drink*
  tomar… desayuno *to eat/ have … breakfast*
tomó *s/he took*
tontas/tonto *foolish, silly, stupid*
tortilla(s) *tortilla(s)*
tostado: pan tostado *toast*
totalmente *totally, completely*
trabaja *s/he works*
trabajaba *s/he worked*
trabajaban *they worked*
trabajado *worked*

había trabajado *s/he had worked*
ha trabajado *s/he has worked*
trabajan *they work*
trabajando *working*
trabajar *to work*
trabajaste *you worked*
trabajo *job, work*
transportaban *they transported*
transportan *they transport*
trata de *s/he tries to*
trató de *s/he tried to*
trece *thirteen*
tres *three*
triste *sad*
  qué triste *how sad*
tristeza *sadness*
tu *your*
tú *you*
turísticos *tourist (adj.)*
tus *your*
tuvieron *you (plural) had*
tuvimos *we had*
tuvo *s/he had*

U
Uds. (ustedes) *you (plural)*
última/último *last*
un, una *a, an, one*
unas *some*
única/único *only*
  el único *the only one*
  lo único *the only thing*
únicos: los únicos civilizados
  the only civilized ones
unida(s) *united, close*
unidos *united*

Estados Unidos *United States*
universidad *university*
uno *one*
unos *some*
usábamos *we used, used to use*
usan *you (plural) use*
usar *to use*

V
va *s/he goes*
  va a *s/he is going to*
  se va *s/he leaves*
  se va a *s/he is leaving for*
vale *it is worth*
vamos *we are going, let's go*
  vamos a *we are going to*
van *they go*
  van a *they are going to*
vas *you go*
  vas a *you are going to*
vaso *glass*
ve *s/he sees*
  se ve bonita *she looks pretty*
  se ve un edificio *a building is seen/visible*
veces *times*
  a veces *sometimes, at times*
vecinos *neighbors*
vegetación *vegetation*
veía *s/he saw*
  se veía *s/he looked, appeared*
  se veía un edificio *a building was seen/visible*
veinticinco *twenty-five*
vemos *we see*
ven *they see; come (command)*

vendedoras, vendedores *sellers*
venden *they sell*
vender *to sell*
vendían *they sold, were selling*
vendiendo *selling*
venir *to come*
veo *I see*
ver *to see*
verano *summer*
veras: de veras *really*
verdad *truth*
  es verdad *it is true*
verdaderamente *really*
verde *green*
vergüenza: tiene vergüenza *is embarrassed*
verla *to see her*
verlo *to see it*
verlos *to see them*
verte *to see you*
ves: te ves *you look, appear*
  te ves muy bien *you look really good*
  te ves maravilloso *you look marvelous*
vete *go away (command)*
vez *time*
  tal vez *perhaps, maybe*
  en vez de *instead of*
  otra vez *again*
vi *I saw*
viajar *to travel*
viaje *trip (noun)*
  de viaje *on a trip*
vida *life*
  con vida *alive*

vidas *lives (noun)*
videojuego(s) *videogame(s)*
vieja(s)/viejo(s) *old*
vienes *you come*
vieron *they saw*
vio *s/he saw*
visitado: había visitado *s/he had visited*
visitar *to visit*
visitó *s/he visited*
visto: ha visto *s/he has seen*
vive *s/he lives*
viven *they live*
vivía *s/he lived*
vivían *they lived*
vivimos *we live*
vivir *to live*
vivos *alive*
volver *to return, to come/go back*
volvieron *they returned*
volvió *s/he returned*
voy *I go*
  voy a *I am going to*
voz *voice*
vuelta: se da la vuelta *s/he turns around*
vuelto: se había vuelto *s/he had returned*
vuelve *s/he returns; go/come back! (command)*
vuelven *they return, they go back, they come back*
vuelves *you return, you go back, you come back*
vuelvo *I'll come back, I'll return*

Y
ya *already, now*
 ya que *because, since*
yo *I*

Z
zapatos *shoes*